#연산반복학습
#생활속계산
#문장읽고계산식세우기
#학원에서검증된문제집

수학리더
연산

Chunjae
Makes
Chunjae

▼

기획총괄	박금옥
편집개발	지유경, 정소현, 조선영, 최윤석
디자인총괄	김희정
표지디자인	윤순미, 박민정
내지디자인	박희춘
제작	황성진, 조규영

발행일	2021년 10월 15일 개정초판 2023년 8월 15일 3쇄
발행인	(주)천재교육
주소	서울시 금천구 가산로9길 54
신고번호	제2001-000018호
고객센터	1577-0902
교재 구입 문의	1522-5566

수학 리더 연산 2-A

차례

이 책의 구성과 특징

이번에 배울 내용을 알아볼까요?

공부할 내용을 만화로 재미있게 확인할 수 있습니다.

기초 계산 연습

계산 원리와 방법을 한눈에
익힐 수 있고 계산 반복 훈련으로
확실하게 익힐 수 있습니다.

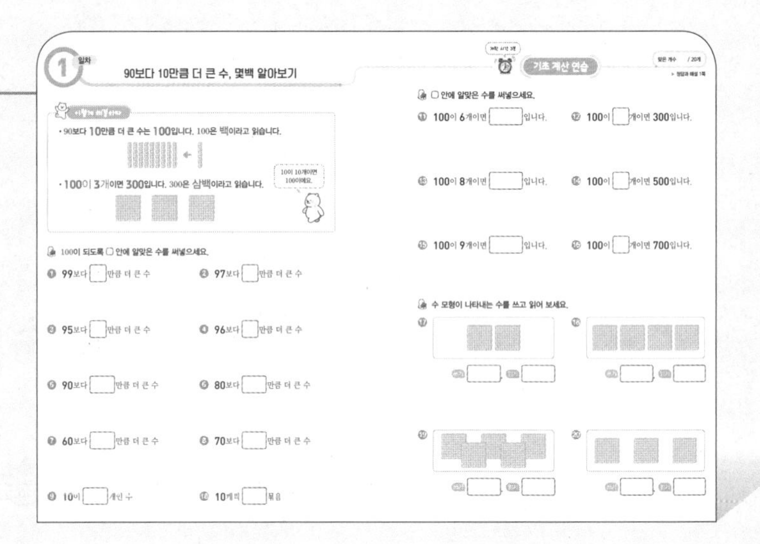

플러스 계산 연습

다양한 형태의 계산 문제를 반복하여
완벽하게 익힐 수 있습니다.

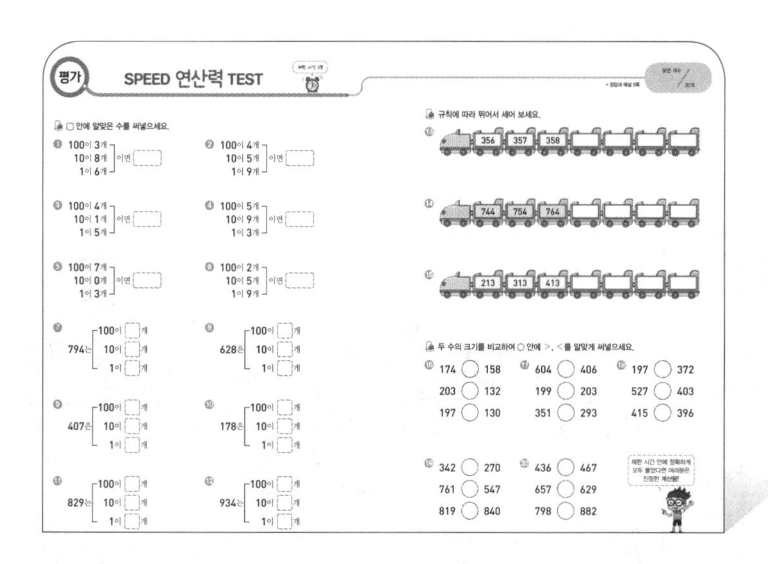

평가 SPEED 연산력 TEST

배운 내용을 테스트로 마무리 할 수 있습니다.

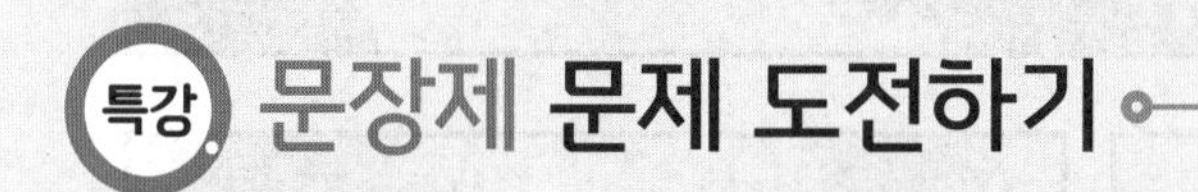

특강 문장제 문제 도전하기

단순 연산 문제와 함께
문장제 문제도 연습할 수
있습니다.

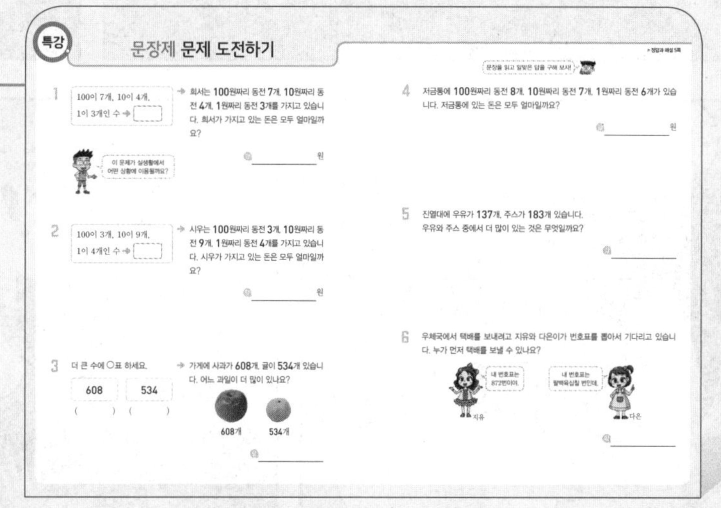

특강 창의·융합·코딩·도전하기

요즘 수학 문제인 창의·융합·코딩
문제를 수록하였습니다.

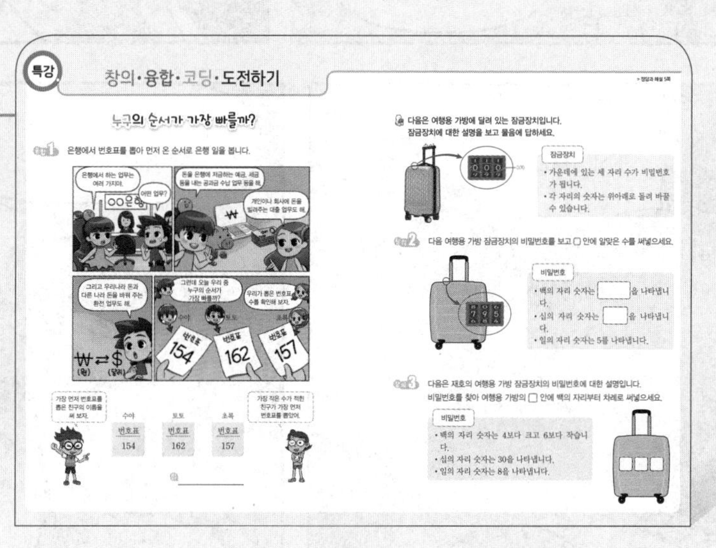

세 자리 수

실생활에서 알아보는 재미있는 수학 이야기

이번에 배울 내용을 알아볼까요?

- 1일차 90보다 10만큼 더 큰 수, 몇백 알아보기
- 2일차 세 자리 수 알아보기
- 3일차 각 자리의 숫자와 나타내는 값 알아보기
- 4일차 뛰어 세기
- 5일차 크기 비교

1 일차

90보다 10만큼 더 큰 수, 몇백 알아보기

이렇게 해결하자

- 90보다 **10**만큼 더 큰 수는 **100**입니다. 100은 **백**이라고 읽습니다.

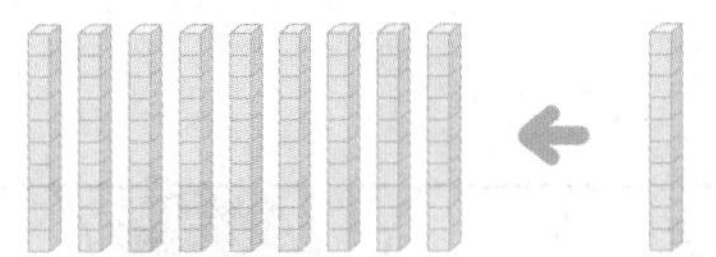

- **100**이 **3**개이면 **300**입니다. 300은 **삼백**이라고 읽습니다.

10이 10개이면 100이에요.

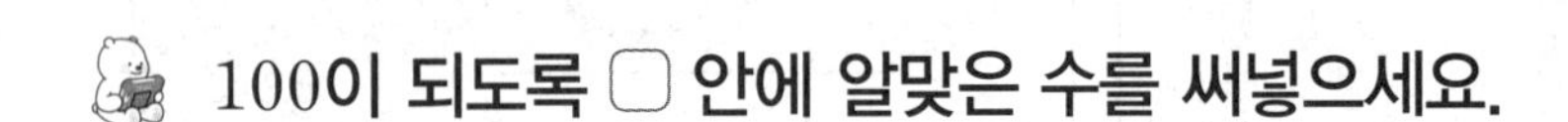

100이 되도록 ☐ 안에 알맞은 수를 써넣으세요.

❶ 99보다 ☐만큼 더 큰 수

❷ 97보다 ☐만큼 더 큰 수

❸ 95보다 ☐만큼 더 큰 수

❹ 96보다 ☐만큼 더 큰 수

❺ 90보다 ☐만큼 더 큰 수

❻ 80보다 ☐만큼 더 큰 수

❼ 60보다 ☐만큼 더 큰 수

❽ 70보다 ☐만큼 더 큰 수

❾ 10이 ☐개인 수

❿ 10개씩 ☐묶음

기초 계산 연습

맞은 개수 / 20개

▶ 정답과 해설 1쪽

☐ 안에 알맞은 수를 써넣으세요.

⑪ 100이 6개이면 ☐입니다.

⑫ 100이 ☐개이면 300입니다.

⑬ 100이 8개이면 ☐입니다.

⑭ 100이 ☐개이면 500입니다.

⑮ 100이 9개이면 ☐입니다.

⑯ 100이 ☐개이면 700입니다.

⑰

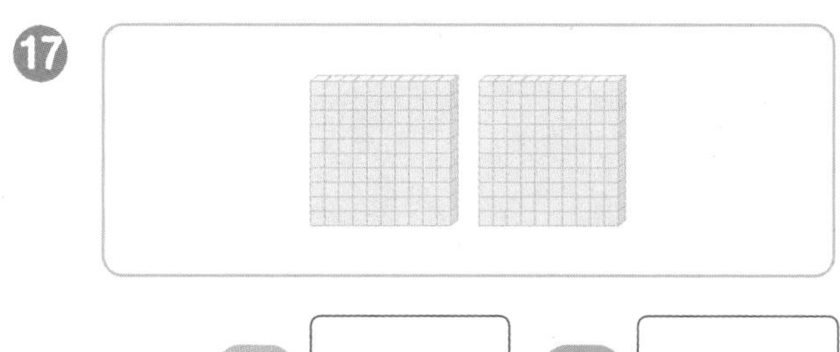

쓰기 ☐, 읽기 ☐

⑱

쓰기 ☐, 읽기 ☐

⑲

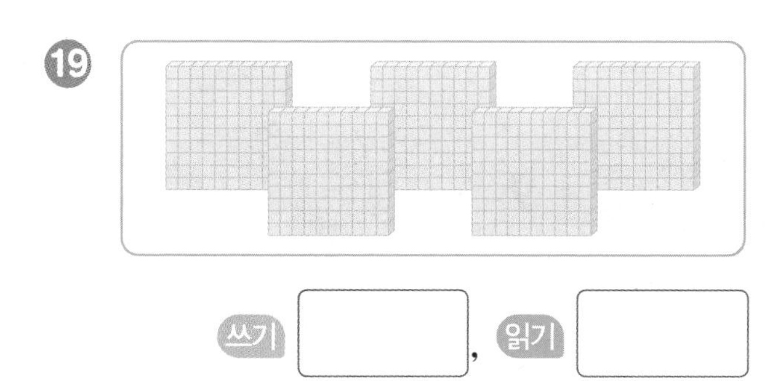

쓰기 ☐, 읽기 ☐

⑳

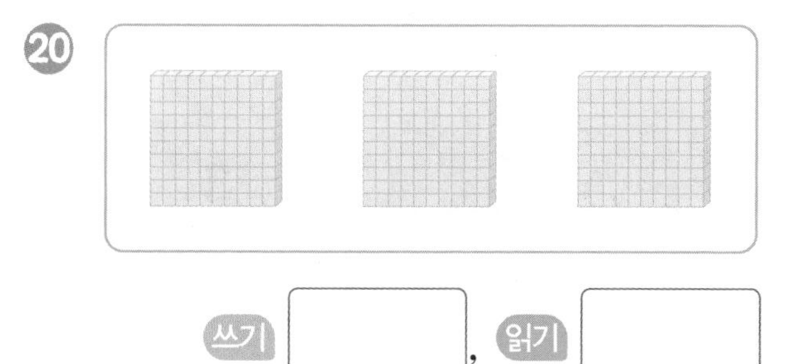

쓰기 ☐, 읽기 ☐

1 일차

90보다 10만큼 더 큰 수, 몇백 알아보기

□ 안에 알맞은 수를 써넣으세요.

1

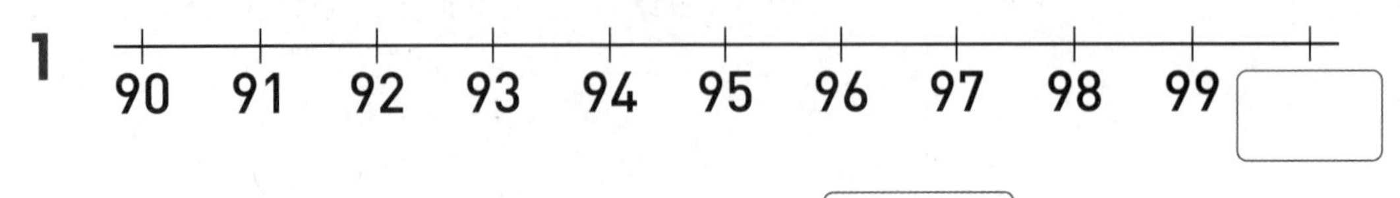

99보다 1만큼 더 큰 수는 □입니다.

2

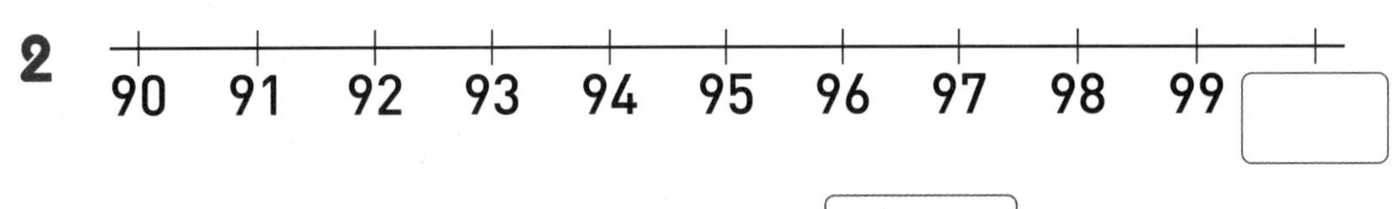

95보다 5만큼 더 큰 수는 □입니다.

3

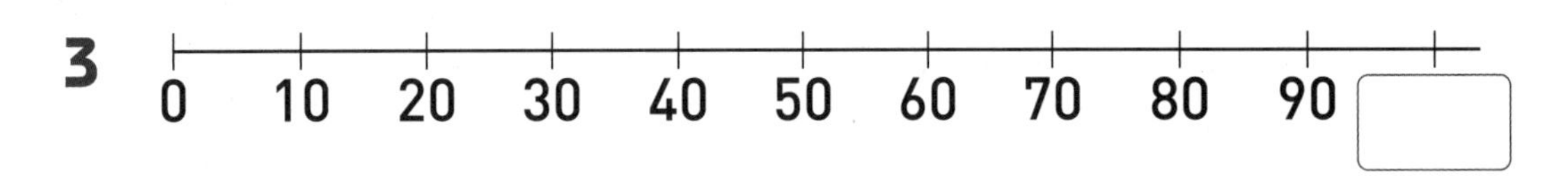

80보다 20만큼 더 큰 수는 □입니다.

100원이 되려면 얼마가 더 필요한지 구하세요.

4

□원

5

□원

6

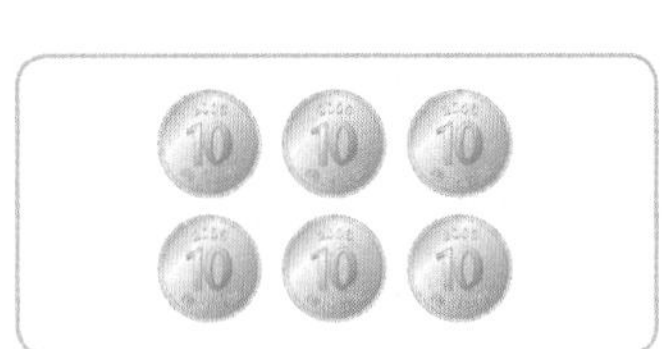

□원

7

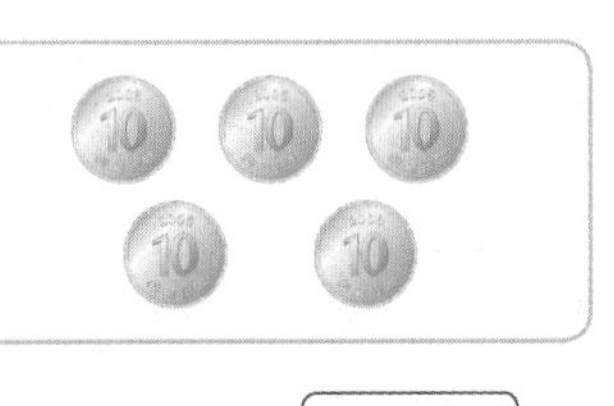

□원

8

□원

9

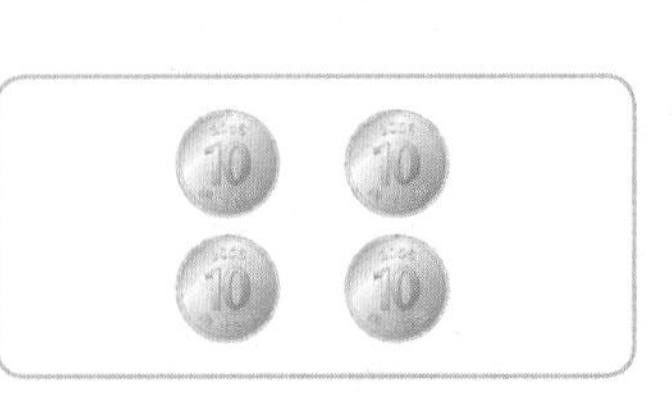

□원

생활 속 문제

지갑에 들어 있는 돈은 얼마인지 구하세요.

10

□원

11

□원

12

□원

13

□원

문장 읽고 문제 해결하기

14

쓰기 □, 읽기 □

15

쓰기 □, 읽기 □

16

쓰기 □, 읽기 □

17

쓰기 □, 읽기 □

세 자리 수 알아보기

• 세 자리 수 알아보기

백 모형	십 모형	일 모형

백 모형이 2개, 십 모형이 4개, 일 모형이 5개이면 245예요.

백 모형 **2**개
십 모형 **4**개 인 수 → **245**
일 모형 **5**개

쓰기 **245**

읽기 이백사십오

수 모형이 나타내는 수를 쓰세요.

❶

백 모형	십 모형	일 모형

[ ]

❷

백 모형	십 모형	일 모형

[ ]

❸

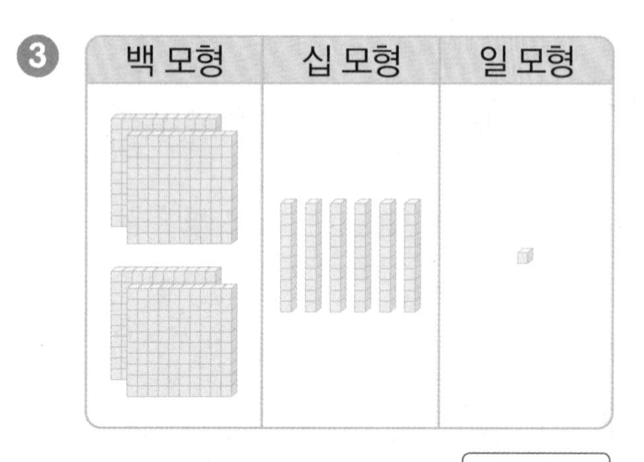

백 모형	십 모형	일 모형

[ ]

❹

백 모형	십 모형	일 모형

[ ]

제한 시간 3분

기초 계산 연습

맞은 개수 / 14개

▶ 정답과 해설 1쪽

☐ 안에 알맞은 수를 써넣으세요.

5. 100이 4개, 10이 6개, 1이 8개이면 ☐

6. 100이 4개, 10이 2개, 1이 9개이면 ☐

7. 100이 3개, 10이 8개, 1이 5개이면 ☐

8. 100이 6개, 10이 7개, 1이 1개이면 ☐

9. 100이 5개, 10이 7개, 1이 4개이면 ☐

10. 100이 7개, 10이 3개, 1이 1개이면 ☐

11. 100이 5개, 10이 2개, 1이 6개이면 ☐

12. 100이 2개, 10이 8개, 1이 6개이면 ☐

13. 100이 5개, 10이 0개, 1이 3개이면 ☐

14. 100이 9개, 10이 6개, 1이 5개이면 ☐

2 일차

세 자리 수 알아보기

수 모형이 나타내는 수를 쓰고 읽어 보세요.

1

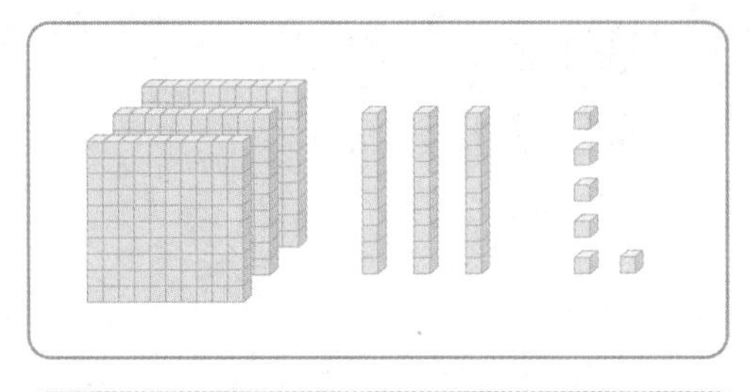

쓰기	읽기

2

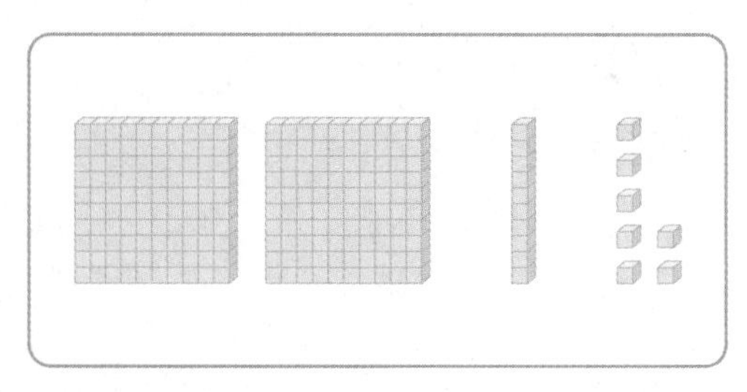

쓰기	읽기

3

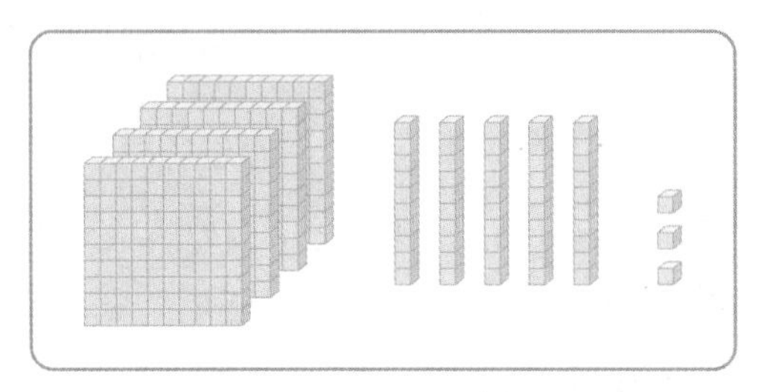

쓰기	읽기

4

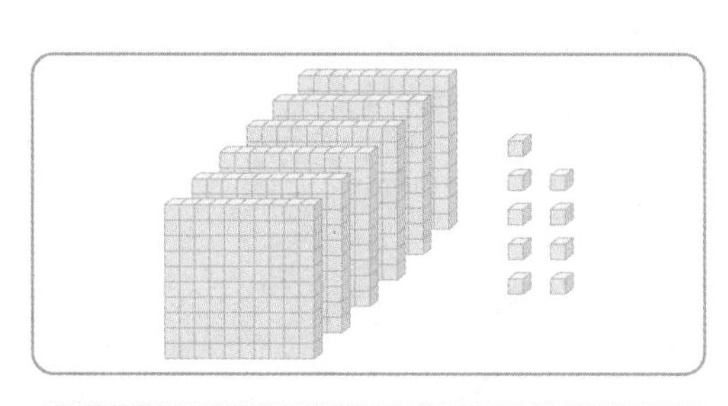

쓰기	읽기

수로 써 보세요.

5 사백구십일

6 칠백삼십팔

7 육백사

8 삼백구십일

제한 시간 3분

플러스 계산 연습

맞은 개수 / 16개

▶ 정답과 해설 2쪽

생활 속 문제

수수깡이 모두 몇 개인지 쓰세요.

9

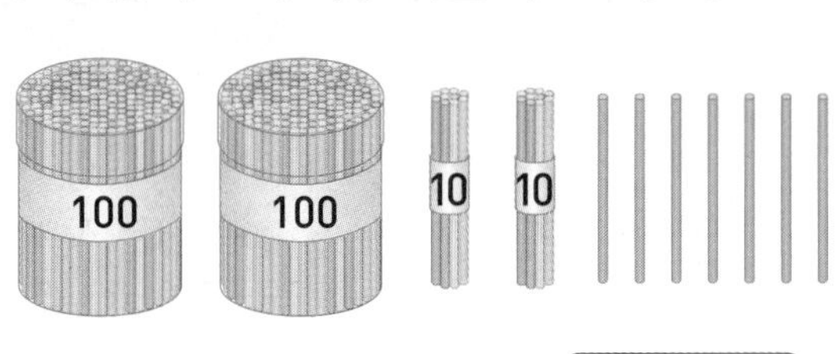

☐개

10

☐개

11

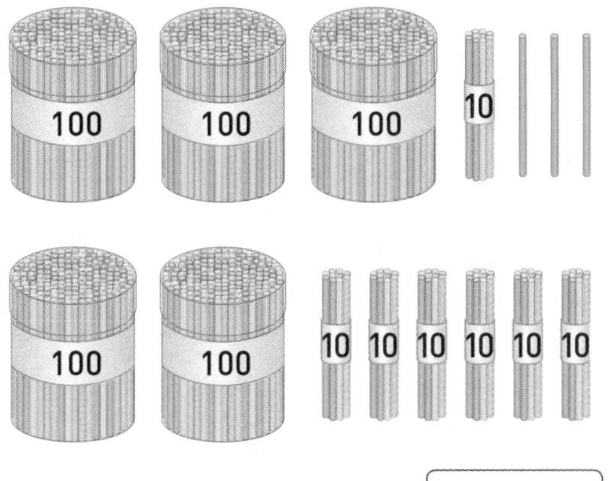

☐개

12

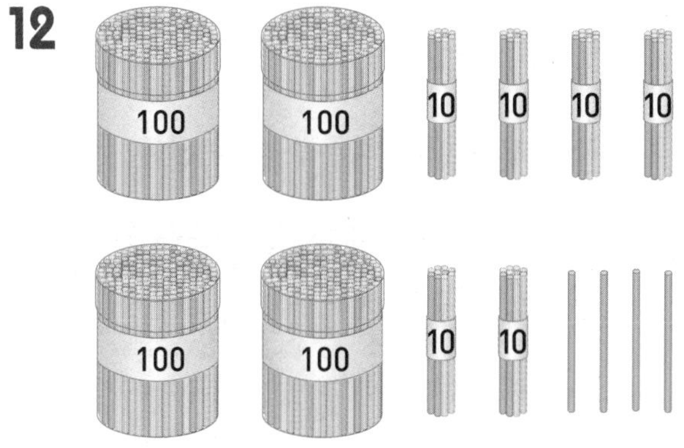

☐개

문장 읽고 문제 해결하기

13 100이 9개, 10이 8개, 1이 7개인 세 자리 수는?

답 ____________

14 100이 8개, 10이 3개, 1이 6개인 세 자리 수는?

답 ____________

15 100이 7개, 10이 4개, 1이 2개인 세 자리 수는?

답 ____________

16 100이 6개, 10이 9개, 1이 3개인 세 자리 수는?

답 ____________

3 일차

각 자리의 숫자와 나타내는 값 알아보기

이렇게 해결하자

• 543의 각 자리의 숫자가 나타내는 값 알아보기

	백의 자리	십의 자리	일의 자리
각 자리의 숫자 →	5	4	3
	100이 5개	10이 4개	1이 3개
나타내는 값 →	500	40	3

543에서 4는 십의 자리 숫자이고 나타내는 값은 40이에요.

543=500+40+3

빈칸에 알맞은 수를 써넣으세요.

❶ 354 →

100이 3개	10이 5개	1이 4개
300		

354=300+☐+☐

❷ 625 →

100이 6개	10이 2개	1이 5개
600		

625=600+☐+☐

❸ 438 →

100이 4개	10이 3개	1이 8개
400		

438=400+☐+☐

❹ 671 →

100이 6개	10이 7개	1이 1개
600		

671=600+☐+☐

제한 시간 3분

기초 계산 연습

맞은 개수 / 16개

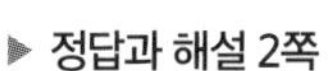
▶ 정답과 해설 2쪽

밑줄 친 숫자가 나타내는 값을 쓰세요.

5. 274 → ☐

6. 463 → ☐

7. 198 → ☐

8. 723 → ☐

9. 836 → ☐

10. 953 → ☐

11. 263 → ☐

12. 483 → ☐

☐ 안에 알맞은 수를 써넣으세요.

13. 456에서
- 4는 ☐을,
- 5는 ☐을,
- 6은 ☐을 나타냅니다.

14. 237에서
- 2는 ☐을,
- 3은 ☐을,
- 7은 ☐을 나타냅니다.

15. 683에서
- 6은 ☐을,
- 8은 ☐을,
- 3은 ☐을 나타냅니다.

16. 751에서
- 7은 ☐을,
- 5는 ☐을,
- 1은 ☐을 나타냅니다.

3 일차

각 자리의 숫자와 나타내는 값 알아보기

조건에 맞는 수를 찾아 ○표 하세요.

1 조건: 숫자 5가 500을 나타내는 수

895　　543　　751

2 조건: 숫자 9가 900을 나타내는 수

912　　809　　194

3 조건: 숫자 2가 20을 나타내는 수

429　　402　　231

4 조건: 숫자 4가 4를 나타내는 수

439　　845　　324

보기와 같이 주어진 숫자가 나타내는 수를 □ 안에 써넣으세요.

보기

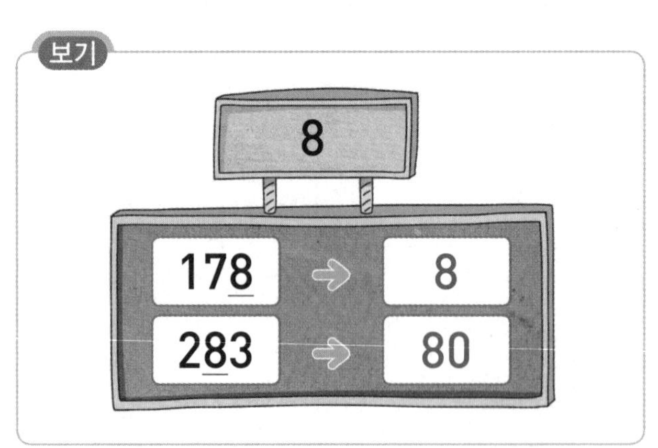

5

6

6

367 → □

612 → □

7

제한 시간 3분

플러스 계산 연습

맞은 개수 / 15개

▶ 정답과 해설 3쪽

생활 속 문제

▢ 안에 알맞은 버스 번호를 써넣으세요.

8 백의 자리 숫자가 6인 버스

▢

9 십의 자리 숫자가 3인 버스

▢

10 일의 자리 숫자가 5인 버스

▢

11 백의 자리 숫자가 1인 버스

▢

문장 읽고 문제 해결하기

12 백의 자리 숫자가 8, 십의 자리 숫자가 6, 일의 자리 숫자가 4인 세 자리 수는?

답 ________

13 백의 자리 숫자가 7, 십의 자리 숫자가 9, 일의 자리 숫자가 1인 세 자리 수는?

답 ________

14 백의 자리 숫자가 2, 십의 자리 숫자가 5, 일의 자리 숫자가 6인 세 자리 수는?

답 ________

15 백의 자리 숫자가 3, 십의 자리 숫자가 7, 일의 자리 숫자가 8인 세 자리 수는?

답 ________

일차

뛰어 세기

이렇게 해결하자

• 몇씩 뛰어서 세기

• 1000 알아보기

999보다 1만큼 더 큰 수 ➜ 쓰기 **1000** 읽기 **천**

100씩 뛰어서 세어 보세요.

❶

213	313	413				

❷

354	454					

10씩 뛰어서 세어 보세요.

❸

517	527	537				

❹

925	935					

1씩 뛰어서 세어 보세요.

❺

263	264					

❻

411	412					

▶ 정답과 해설 3쪽

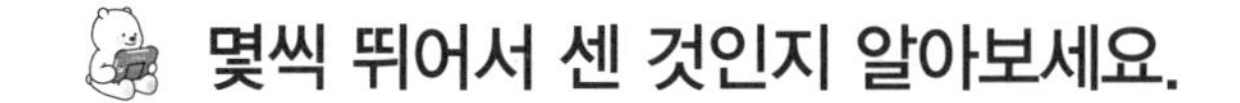
몇씩 뛰어서 센 것인지 알아보세요.

7
251
351
451
551
씩
8
154
164
174
184
씩

9
634
635
636
637
씩
10
714
724
734
744
씩

11
651
751
851
951
씩
12
195
196
197
198
씩

13
325
425
525
625
씩
14
273
274
275
276
씩

15
251
261
271
281
씩
16
421
521
621
721
씩

4 일차

뛰어 세기

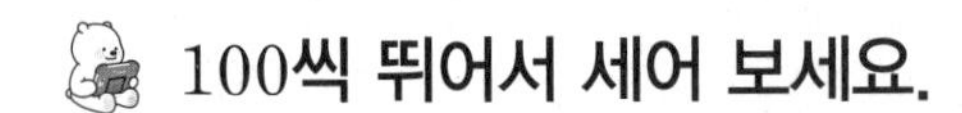
100씩 뛰어서 세어 보세요.

1

2

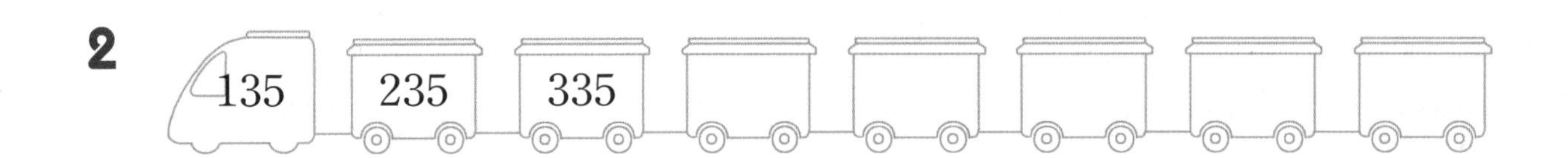

10씩 뛰어서 세어 보세요.

3

4

526 536 ☐ 556 ☐ ☐ ☐ ☐

뛰어 세는 규칙을 찾아 ㉠에 알맞은 수를 구하세요.

5

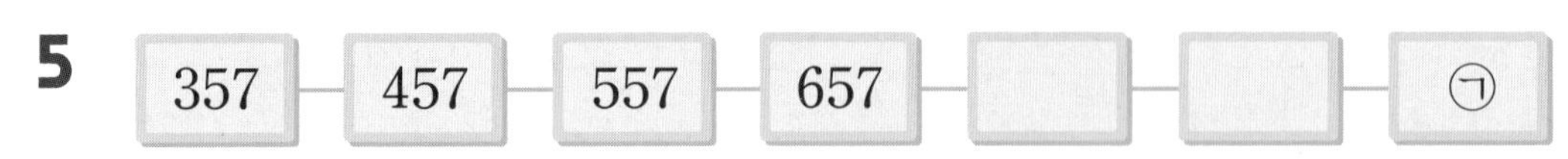

☐

6

456 — 457 — 458 — 459 — ☐ — ☐ — ㉠

☐

플러스 계산 연습

맞은 개수 / 14개

▶ 정답과 해설 4쪽

생활 속 문제

저금통에 돈을 더 넣으면 모두 얼마가 되는지 구하세요.

7 100원씩 6번

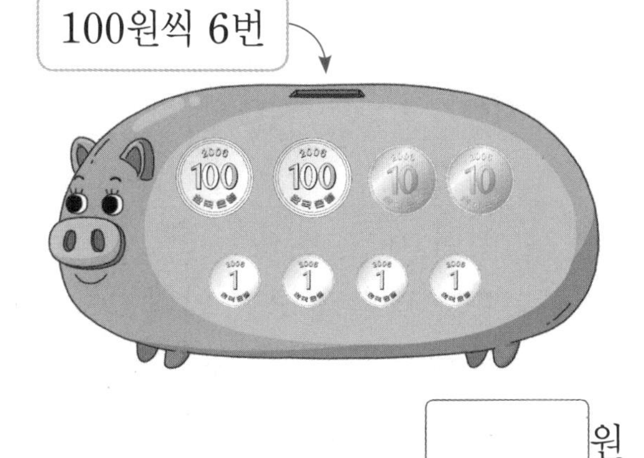

☐원

8 10원씩 4번

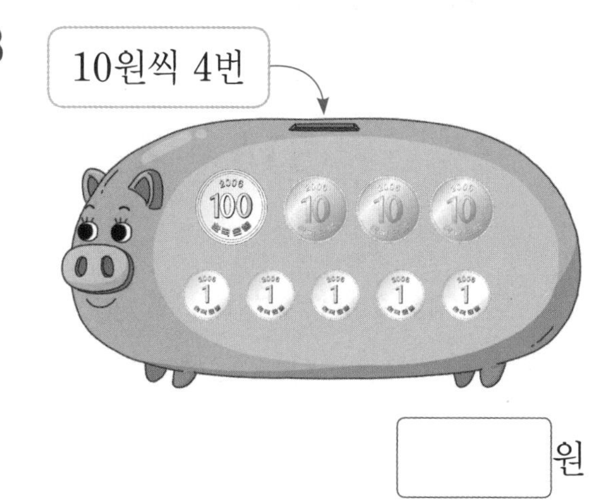

☐원

9 100원씩 5번

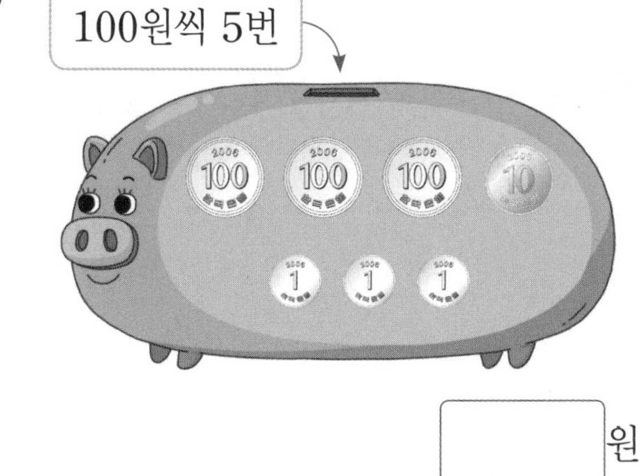

☐원

10 10원씩 3번

☐원

문장 읽고 문제 해결하기

11 521에서 10씩 커지게 3번 뛰어서 센 수는?

답 ________

12 236에서 100씩 커지게 4번 뛰어서 센 수는?

답 ________

13 524에서 10씩 커지게 7번 뛰어서 센 수는?

답 ________

14 478에서 10씩 커지게 6번 뛰어서 센 수는?

답 ________

5 일차

크기 비교

이렇게 해결하자

• 두 수의 크기 비교

535 (>) 316 — 5>3

624 (<) 681 — 2<8

596 (>) 594 — 6>4

백의 자리 수부터 비교해요.

백의 자리 수가 같으면 십의 자리 수를 비교해요.

백의 자리, 십의 자리 수가 각각 같으면 일의 자리 수를 비교해요.

두 수의 크기를 비교하여 ○ 안에 >, <를 알맞게 써넣으세요.

❶ 572 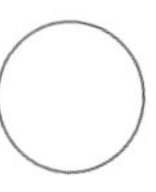 453

❷ 243 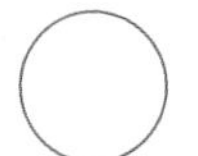 391

❸ 638 ○ 656

❹ 421 ○ 425

❺ 851 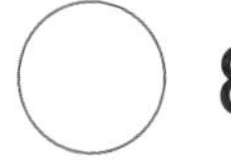 857

❻ 425  409

❼ 158  125

❽ 213 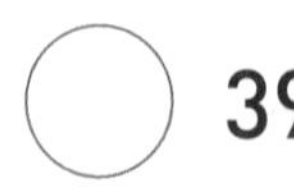 398

❾ 246  213

❿ 534  643

⓫ 758 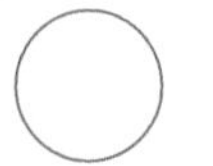 739

⓬ 642 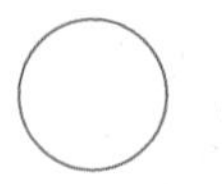 649

기초 계산 연습

맞은 개수 / 24개

▶ 정답과 해설 4쪽

더 큰 수에 ○표 하세요.

⑬ 671 675

⑭ 583 621

⑮ 927 923

⑯ 432 430

⑰ 758 753

⑱ 679 684

수의 크기를 비교하여 가장 큰 수에 ○표, 가장 작은 수에 △표 하세요.

⑲ 245 156 536

⑳ 358 630 432

㉑ 632 805 637

㉒ 423 432 430

㉓ 561 597 504

㉔ 442 509 613

5 일차

크기 비교

그림을 보고 두 수의 크기를 비교하여 ○ 안에 >, <를 알맞게 써넣으세요.

1

324 ○ 245

2

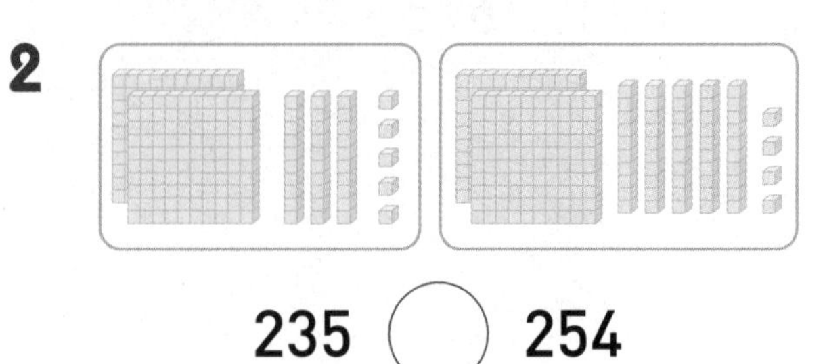

235 ○ 254

두 수의 크기를 비교하여 ○ 안에 >, <를 알맞게 써넣으세요.

3 768 ○ 646

4 492 ○ 461

5 375 ○ 378

6 694 ○ 678

수의 크기를 비교하여 작은 수부터 차례로 쓰세요.

7

375 342 389

☐ < ☐ < ☐

8

709 738 731

☐ < ☐ < ☐

9

498 463 467

☐ < ☐ < ☐

10

713 745 768

☐ < ☐ < ☐

플러스 계산 연습

▶ 정답과 해설 5쪽

생활 속 문제

가격을 비교하여 ○ 안에 >, <를 알맞게 써넣으세요.

가격표

615원	480원	985원	530원	925원	845원

11  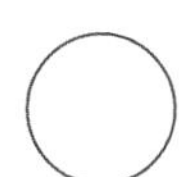 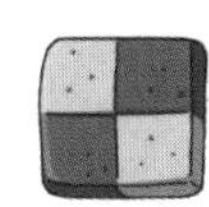

12  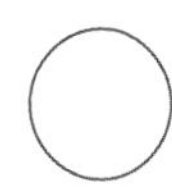 

13  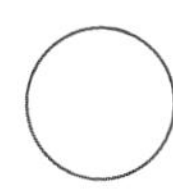 

14 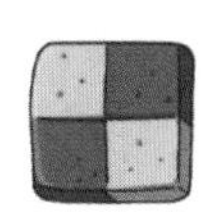 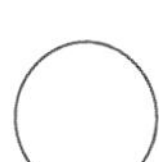 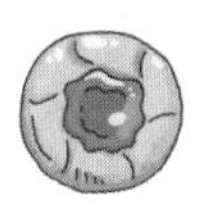

문장 읽고 문제 해결하기

15 참외가 245개, 토마토가 136개 있습니다. 참외와 토마토 중 더 많은 것은?

 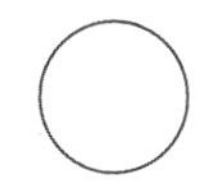 

245개 136개

답 ____________

16 축구공이 385개, 농구공이 342개 있습니다. 축구공과 농구공 중 더 많은 것은?

 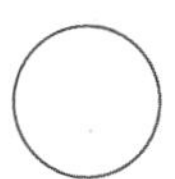 

385개 342개

답 ____________

평가 SPEED 연산력 TEST

□ 안에 알맞은 수를 써넣으세요.

❶ 100이 3개, 10이 8개, 1이 6개이면 □

❷ 100이 4개, 10이 5개, 1이 9개이면 □

❸ 100이 4개, 10이 1개, 1이 5개이면 □

❹ 100이 5개, 10이 9개, 1이 3개이면 □

❺ 100이 7개, 10이 0개, 1이 3개이면 □

❻ 100이 2개, 10이 5개, 1이 9개이면 □

❼ 794는 100이 □개, 10이 □개, 1이 □개

❽ 628은 100이 □개, 10이 □개, 1이 □개

❾ 407은 100이 □개, 10이 □개, 1이 □개

❿ 178은 100이 □개, 10이 □개, 1이 □개

⓫ 829는 100이 □개, 10이 □개, 1이 □개

⓬ 934는 100이 □개, 10이 □개, 1이 □개

규칙에 따라 뛰어서 세어 보세요.

⑬

⑭

⑮

두 수의 크기를 비교하여 ○ 안에 >, <를 알맞게 써넣으세요.

⑯
174 ○ 158
203 ○ 132
197 ○ 130

⑰
604 ○ 406
199 ○ 203
351 ○ 293

⑱
197 ○ 372
527 ○ 403
415 ○ 396

⑲
342 ○ 270
761 ○ 547
819 ○ 840

⑳
436 ○ 467
657 ○ 629
798 ○ 882

제한 시간 안에 정확하게 모두 풀었다면 여러분은 진정한 **계산왕!**

문장제 문제 도전하기

1

100이 7개, 10이 4개,
1이 3개인 수 ➔ ☐

➔ 희서는 100원짜리 동전 7개, 10원짜리 동전 4개, 1원짜리 동전 3개를 가지고 있습니다. 희서가 가지고 있는 돈은 모두 얼마일까요?

이 문제가 실생활에서
어떤 상황에 이용될까요?

답 ________ 원

2

100이 3개, 10이 9개,
1이 4개인 수 ➔ ☐

➔ 시우는 100원짜리 동전 3개, 10원짜리 동전 9개, 1원짜리 동전 4개를 가지고 있습니다. 시우가 가지고 있는 돈은 모두 얼마일까요?

답 ________ 원

3

더 큰 수에 ○표 하세요.

608	534
(　　)	(　　)

➔ 가게에 사과가 608개, 귤이 534개 있습니다. 어느 과일이 더 많이 있나요?

608개

534개

답 ________

▶ 정답과 해설 5쪽

문장을 읽고 알맞은 답을 구해 보자!

4 저금통에 **100**원짜리 동전 **8**개, **10**원짜리 동전 **7**개, **1**원짜리 동전 **6**개가 있습니다. 저금통에 있는 돈은 모두 얼마일까요?

답 ____________ 원

5 진열대에 우유가 **137**개, 주스가 **183**개 있습니다.
우유와 주스 중에서 더 많이 있는 것은 무엇일까요?

답 ____________

6 우체국에서 택배를 보내려고 지유와 다은이가 번호표를 뽑아서 기다리고 있습니다. 누가 먼저 택배를 보낼 수 있나요?

답 ____________

창의·융합·코딩·도전하기

누구의 순서가 가장 빠를까?

은행에서 번호표를 뽑아 먼저 온 순서로 은행 일을 봅니다.

가장 먼저 번호표를 뽑은 친구의 이름을 써 보자.

수야	토토	초록
번호표 154	번호표 162	번호표 157

가장 작은 수가 적힌 친구가 가장 먼저 번호표를 뽑았어.

____

▶정답과 해설 5쪽

다음은 여행용 가방에 달려 있는 잠금장치입니다.
잠금장치에 대한 설명을 보고 물음에 답하세요.

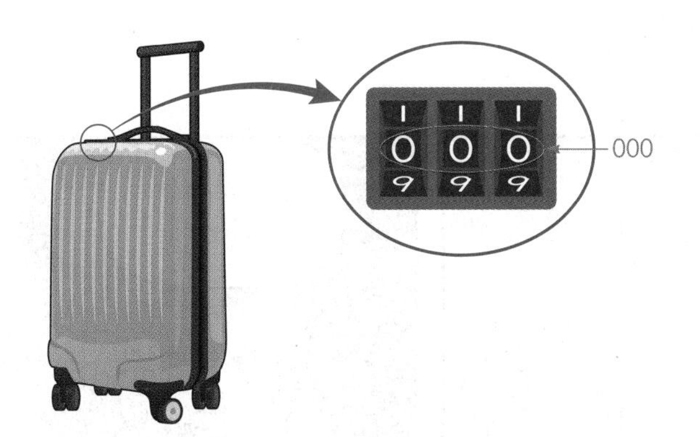

잠금장치

- 가운데에 있는 세 자리 수가 비밀번호가 됩니다.
- 각 자리의 숫자는 위아래로 돌려 바꿀 수 있습니다.

다음 여행용 가방 잠금장치의 비밀번호를 보고 □ 안에 알맞은 수를 써넣으세요.

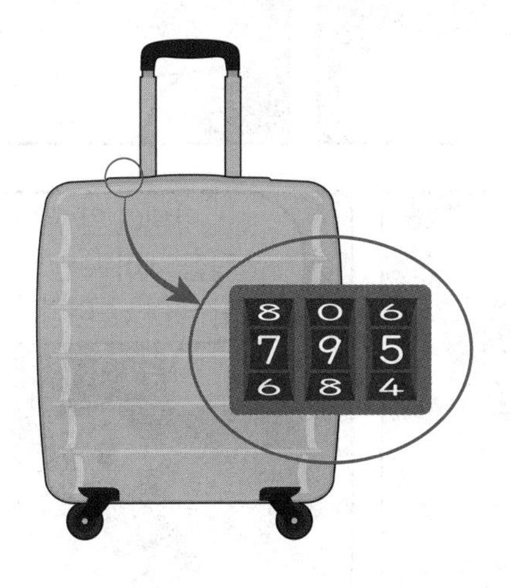

비밀번호

- 백의 자리 숫자는 □을 나타냅니다.
- 십의 자리 숫자는 □을 나타냅니다.
- 일의 자리 숫자는 5를 나타냅니다.

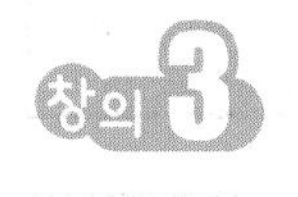
다음은 재호의 여행용 가방 잠금장치의 비밀번호에 대한 설명입니다.
비밀번호를 찾아 여행용 가방의 □ 안에 백의 자리부터 차례로 써넣으세요.

비밀번호

- 백의 자리 숫자는 4보다 크고 6보다 작습니다.
- 십의 자리 숫자는 30을 나타냅니다.
- 일의 자리 숫자는 8을 나타냅니다.

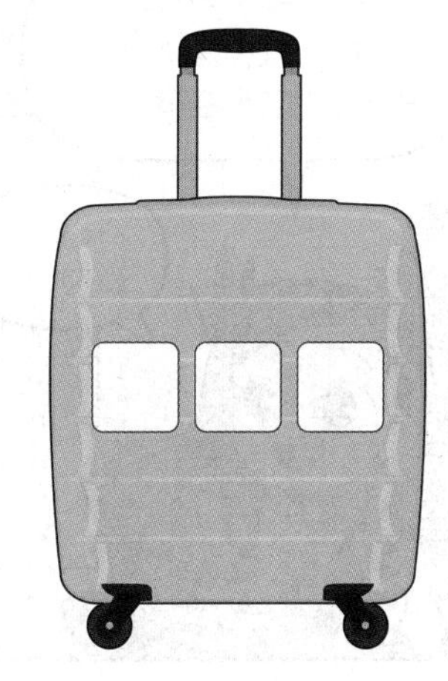

2 덧셈

실생활에서 알아보는 재미있는 수학 이야기

이번에 배울 내용을 알아볼까요?

- 1일차 ~ 2일차 (두 자리 수)+(한 자리 수), (한 자리 수)+(두 자리 수)
- 3일차 ~ 4일차 받아올림이 1번 있는 (두 자리 수)+(두 자리 수)
- 5일차 ~ 6일차 받아올림이 2번 있는 (두 자리 수)+(두 자리 수)
- 7일차 ~ 8일차 여러 가지 방법으로 덧셈하기

(두 자리 수)+(한 자리 수)

이렇게 해결하자

• 35+7의 계산

받아올림한 수는 십의 자리 위에 작게 써요!

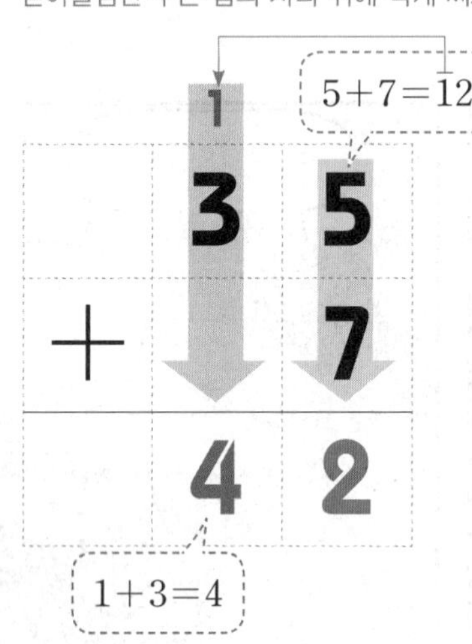

(일 모형 10개)=(십 모형 1개)

35 + 7 → 42

$35+7=42$

계산을 하세요.

❶

	1	6
+		7

❷

	2	7
+		8

❸

	3	9
+		5

❹

	3	7
+		5

❺

	4	4
+		8

❻

	4	6
+		8

❼

	8	4
+		7

❽

	5	6
+		9

❾

	6	5
+		8

제한 시간 5분

기초 계산 연습

맞은 개수 / 24개

▶ 정답과 해설 6쪽

⑩

	2	6
+		8

⑪

	7	9
+		4

⑫

	8	9
+		2

⑬

	6	7
+		7

⑭

	7	6
+		6

⑮

	5	6
+		5

⑯

	6	7
+		3

⑰

	5	9
+		6

⑱

	4	7
+		9

⑲ 43＋9＝☐

+		

⑳ 45＋8＝☐

+		

㉑ 57＋5＝☐

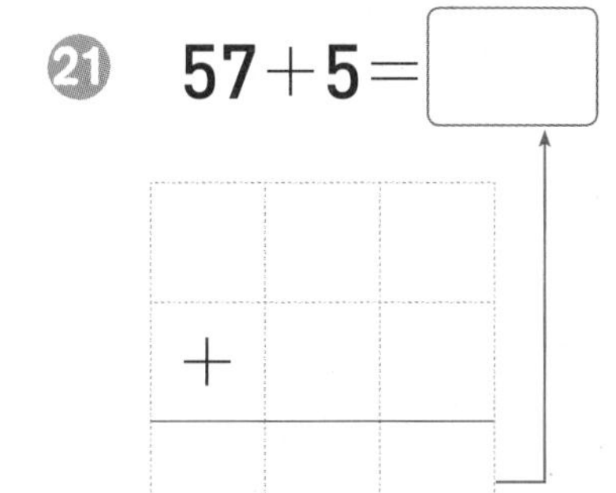

+		

㉒ 78＋7＝☐

+		

㉓ 63＋8＝☐

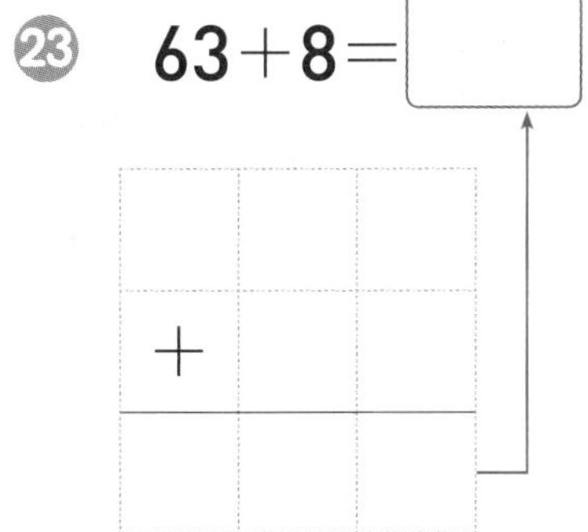

+		

㉔ 66＋9＝☐

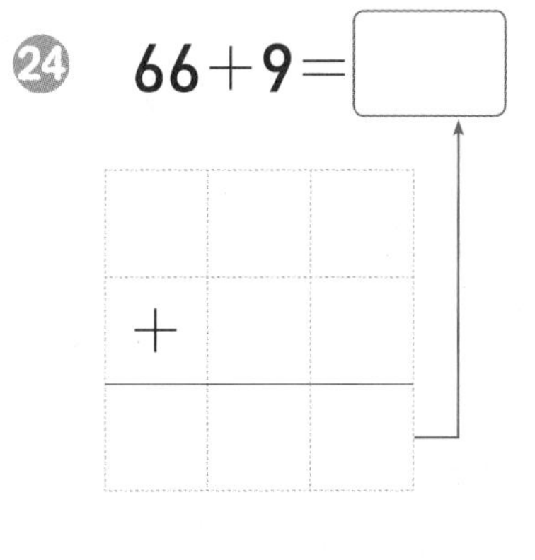

+		

1 일차

(두 자리 수)+(한 자리 수)

 계산을 하세요.

1 $19+5=\square$

$18+6=\square$

2 $37+4=\square$

$38+5=\square$

3 $28+5=\square$

$29+5=\square$

4 $48+8=\square$

$49+4=\square$

빈칸에 두 수의 합을 써넣으세요.

5

35	6

6

48	5

7

37	9

8

56	8

9

67	8

10

75	9

플러스 계산 연습

맞은 개수 / 18개

▶ 정답과 해설 6쪽

생활 속 계산

각 어린이가 오늘 읽은 동화책은 몇 쪽인지 구하세요.

11

하린

난 어제 64쪽 읽었는데 오늘은 어제보다 7쪽 더 많이 읽었어.

□쪽

12

지유

난 어제 58쪽 읽었는데 오늘은 어제보다 3쪽 더 많이 읽었어.

□쪽

13

도윤

난 어제 73쪽 읽었는데 오늘은 어제보다 9쪽 더 많이 읽었어.

□쪽

14

지호

난 어제 77쪽 읽었는데 오늘은 어제보다 5쪽 더 많이 읽었어.

□쪽

문장 읽고 계산식 세우기

15

감자 45개와 무 6개는 모두 몇 개?

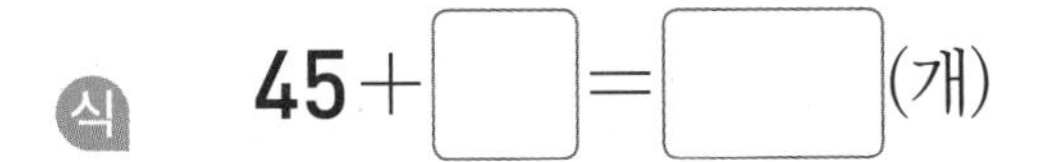

16

감자 27개와 무 4개는 모두 몇 개?

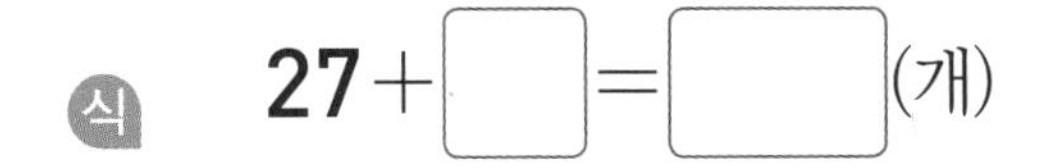

17

호박 46개와 당근 9개는 모두 몇 개?

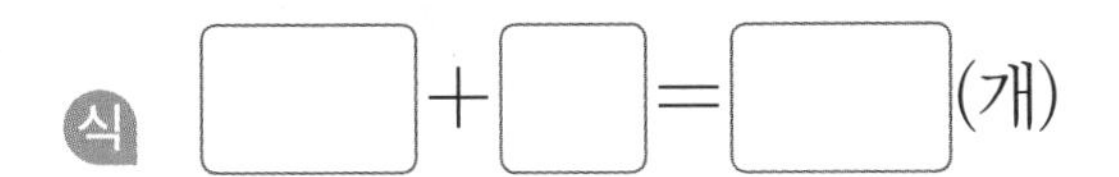

18

호박 48개와 당근 3개는 모두 몇 개?

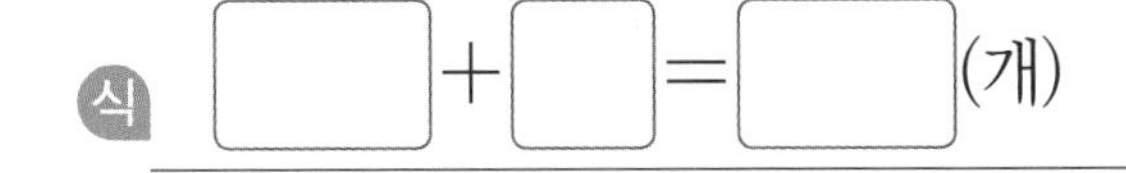

(한 자리 수)+(두 자리 수)

이렇게 해결하자

• 6+25의 계산

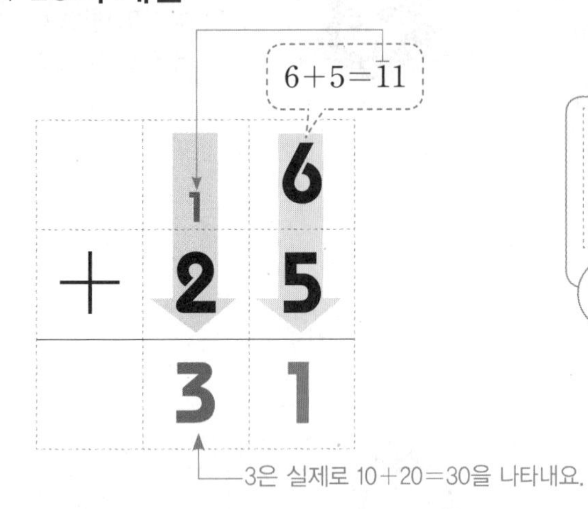

(일 모형 10개)=(십 모형 1개)

6 + 25 → 31

$6+25=31$

계산을 하세요.

❶ $\begin{array}{r} 4 \\ +\ 69 \\ \hline \end{array}$

❷ $\begin{array}{r} 9 \\ +\ 48 \\ \hline \end{array}$

❸ $\begin{array}{r} 5 \\ +\ 49 \\ \hline \end{array}$

❹ $\begin{array}{r} 9 \\ +\ 36 \\ \hline \end{array}$

❺ $\begin{array}{r} 8 \\ +\ 86 \\ \hline \end{array}$

❻ $\begin{array}{r} 6 \\ +\ 24 \\ \hline \end{array}$

❼ $\begin{array}{r} 6 \\ +\ 57 \\ \hline \end{array}$

❽ $\begin{array}{r} 4 \\ +\ 48 \\ \hline \end{array}$

❾ $\begin{array}{r} 8 \\ +\ 73 \\ \hline \end{array}$

제한 시간 5분

기초 계산 연습

맞은 개수 / 24개

▶ 정답과 해설 6쪽

⑩

		4
+	7	6

⑪

		5
+	8	7

⑫

		8
+	3	9

⑬

		6
+	4	7

⑭

		7
+	5	4

⑮

		6
+	3	5

⑯

		8
+	6	7

⑰

		9
+	4	7

⑱

		3
+	5	8

⑲ $5+68=\square$

+		

⑳ $8+46=\square$

+		

㉑ $3+29=\square$

+		

㉒ $9+76=\square$

+		

㉓ $7+37=\square$

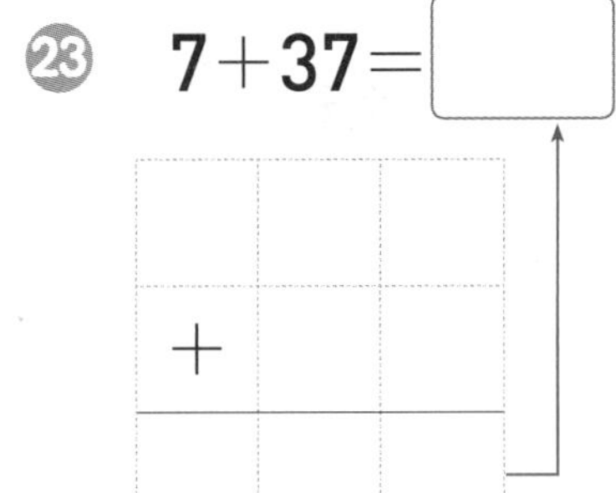

㉔ $8+48=\square$

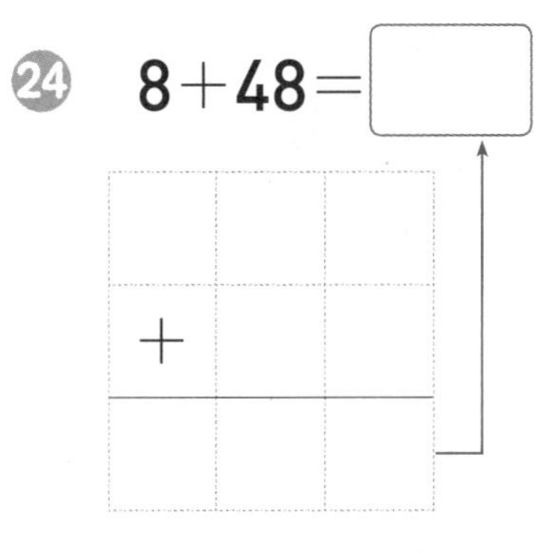

2 일차

(한 자리 수)+(두 자리 수)

계산을 하세요.

1 $5+17=$ ☐

$6+18=$ ☐

2 $8+56=$ ☐

$9+36=$ ☐

3 $6+46=$ ☐

$7+44=$ ☐

4 $5+39=$ ☐

$7+57=$ ☐

빈칸에 알맞은 수를 써넣으세요.

5 6 → $+58$ → ☐

6 8 → $+37$ → ☐

7 7 → $+49$ → ☐

8 7 → $+34$ → ☐

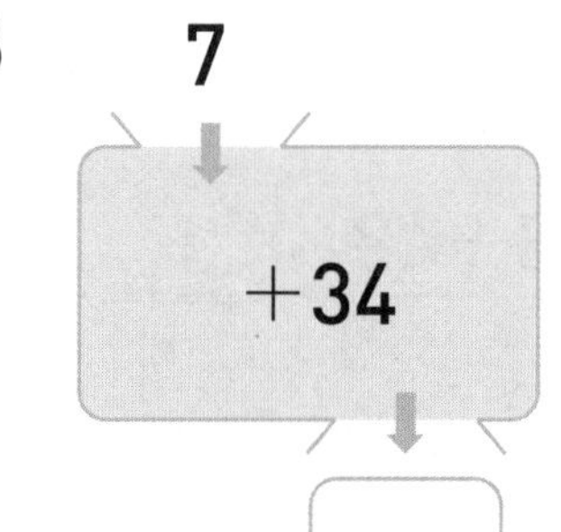

9 6 → $+45$ → ☐

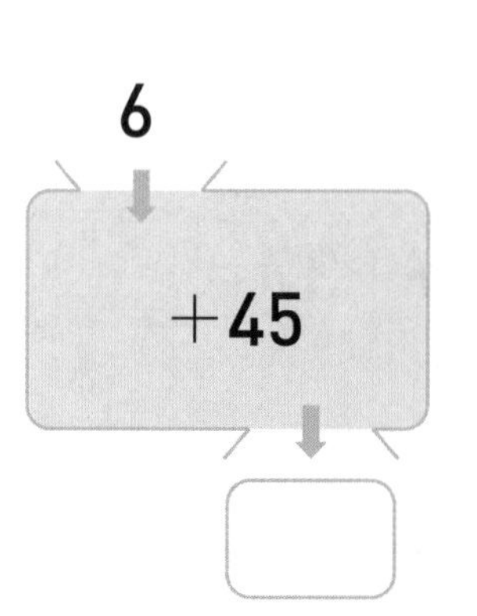

10 8 → $+59$ → ☐

플러스 계산 연습

맞은 개수 / 18개

▶ 정답과 해설 7쪽

생활 속 계산

어린이들이 과일 상자를 들고 저울 위에 올라갔습니다. 과일 상자와 어린이의 무게의 합을 구하세요.

11

7 kg

29 kg

└→ 무게를 나타내는 단위이고 킬로그램이라고 읽습니다.

□ kg

12

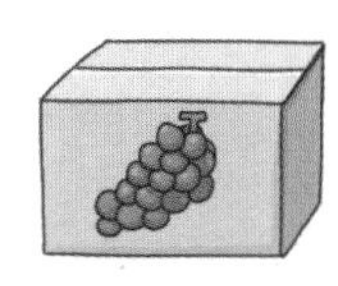
5 kg

36 kg

□ kg

13

7 kg

38 kg

□ kg

14

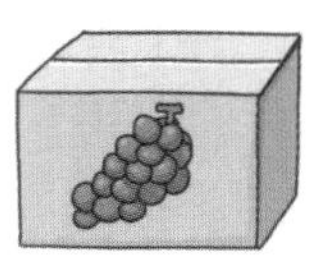
5 kg

28 kg

□ kg

15

6 kg

37 kg

□ kg

16

6 kg

29 kg

□ kg

문장 읽고 계산식 세우기

17

6과 55의 합은?

식 

6+□=□

18

9와 57의 합은?

식  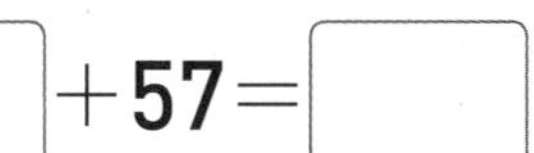

□+57=□

3 일차 일의 자리에서 받아올림이 있는 (두 자리 수)+(두 자리 수)

이렇게 해결하자

• 26+17의 계산

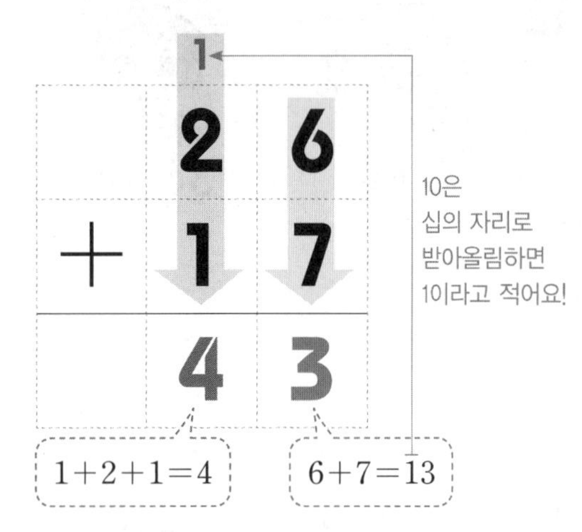

$$\overset{1}{2}6+17=43$$

6+7=13

1+2+1=4

계산을 하세요.

❶

	1	4
+	6	9

❷

	3	3
+	4	8

❸

	7	6
+	1	9

❹

	2	5
+	3	6

❺

	5	8
+	1	6

❻

	4	7
+	2	4

❼

	1	9
+	7	5

❽

	5	5
+	3	8

❾

	2	8
+	1	9

제한 시간 5분

기초 계산 연습

맞은 개수 / 24개

▶ 정답과 해설 7쪽

⑩
	2	5
+	3	8

⑪
	1	9
+	5	6

⑫
	3	9
+	1	7

⑬
	2	9
+	2	8

⑭
	4	6
+	3	8

⑮
	1	8
+	5	7

⑯
	2	9
+	3	8

⑰
	4	4
+	3	7

⑱
	5	7
+	2	5

⑲ $36+26=\square$

+		

⑳ $26+45=\square$

+		

㉑ $53+17=\square$

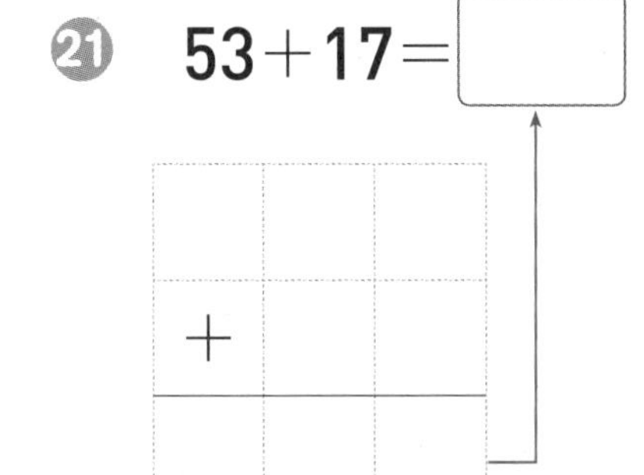

㉒ $25+66=\square$

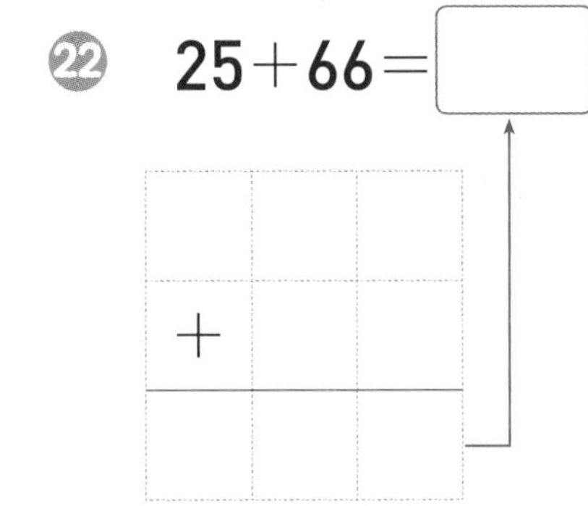

㉓ $27+37=\square$

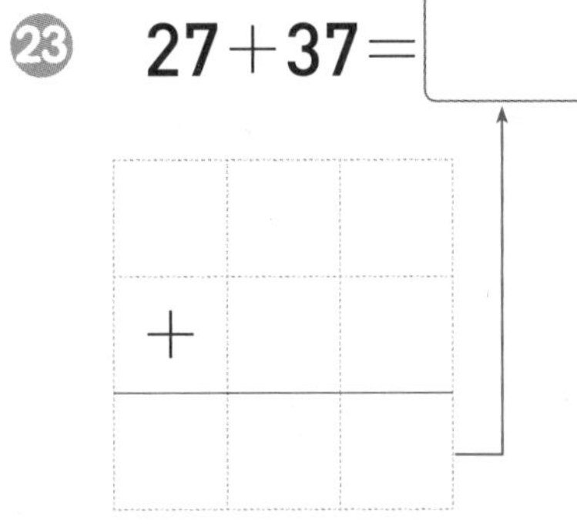

㉔ $38+18=\square$

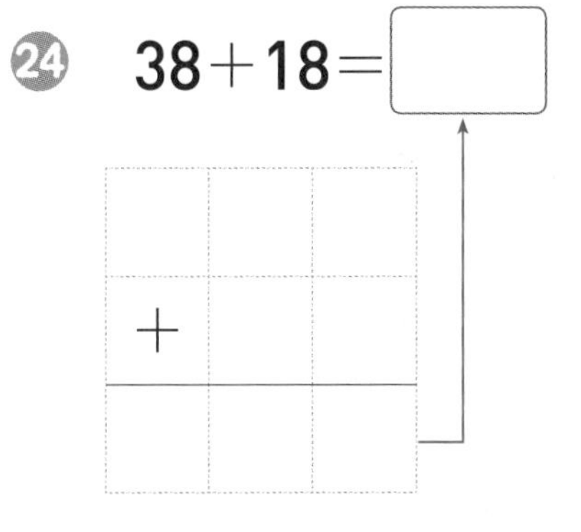

2 덧셈

3 일차 일의 자리에서 받아올림이 있는 (두 자리 수)+(두 자리 수)

계산을 하세요.

1 $57+18=\square$

$67+19=\square$

2 $76+15=\square$

$75+19=\square$

3 $46+35=\square$

$47+39=\square$

4 $62+18=\square$

$63+19=\square$

빈칸에 알맞은 수를 써넣으세요.

5

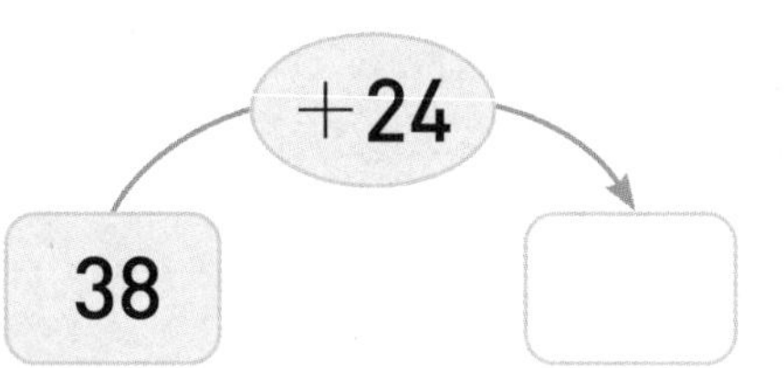

6

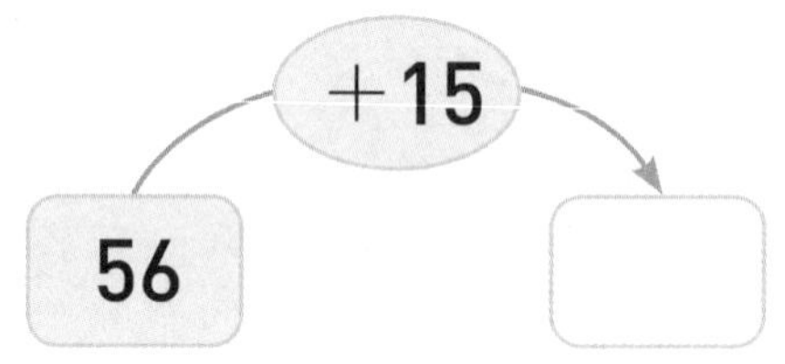

7

+27

46 → □

8

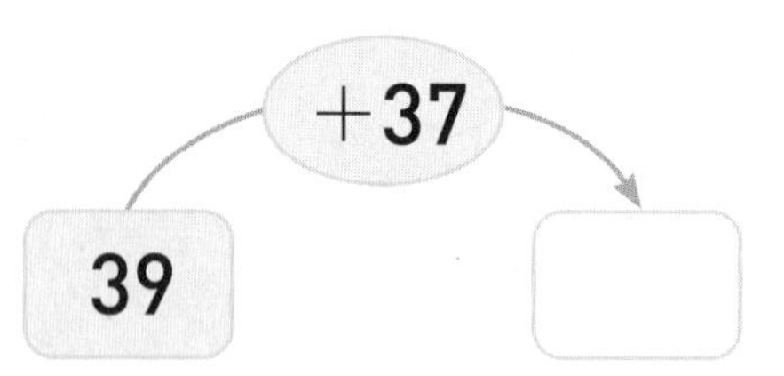

9

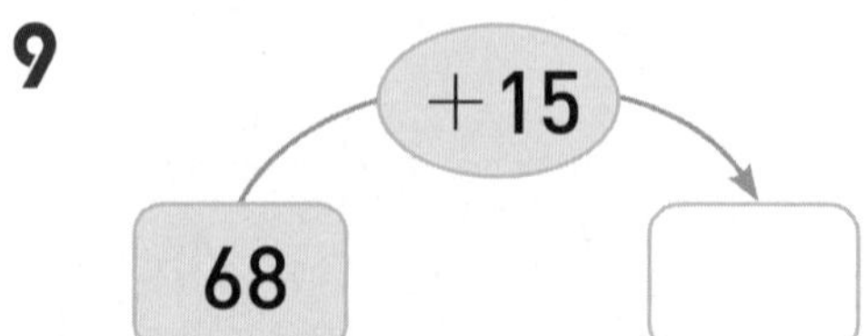

10

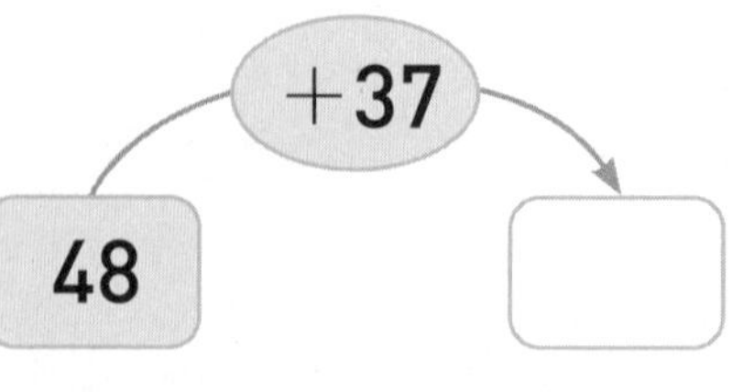

플러스 계산 연습

맞은 개수 / 20개

▶ 정답과 해설 7쪽

생활 속 계산

 계산을 하여 화분에 써넣으세요.

11

12

13

14

15

16

문장 읽고 계산식 세우기

17 종이학을 은우는 27개, 재우는 은우보다 19개 더 많이 접었다면 재우가 접은 종이학은 몇 개?

식 27+□=□(개)

18 종이학을 수아는 38개, 은호는 수아보다 25개 더 많이 접었다면 은호가 접은 종이학은 몇 개?

식 38+□=□(개)

19 모자를 쓴 학생은 16명, 모자를 안 쓴 학생은 29명일 때 전체 학생은 몇 명?

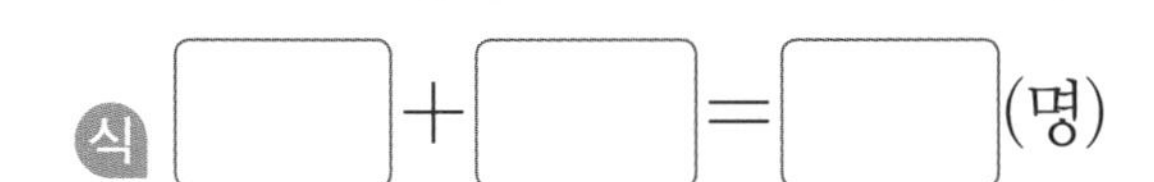

20 안경을 안 쓴 학생은 28명, 안경을 쓴 학생은 24명일 때 전체 학생은 몇 명?

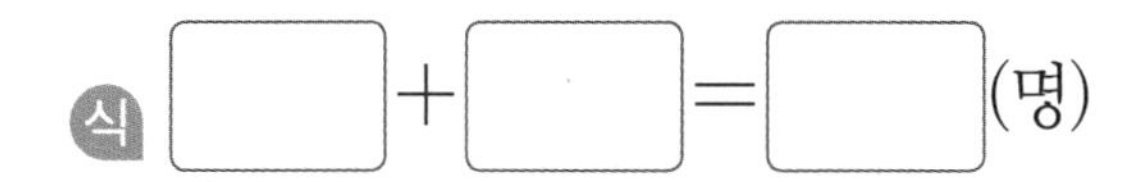

4 일차

십의 자리에서 받아올림이 있는 (두 자리 수)+(두 자리 수)

이렇게 해결하자

• 31+84의 계산

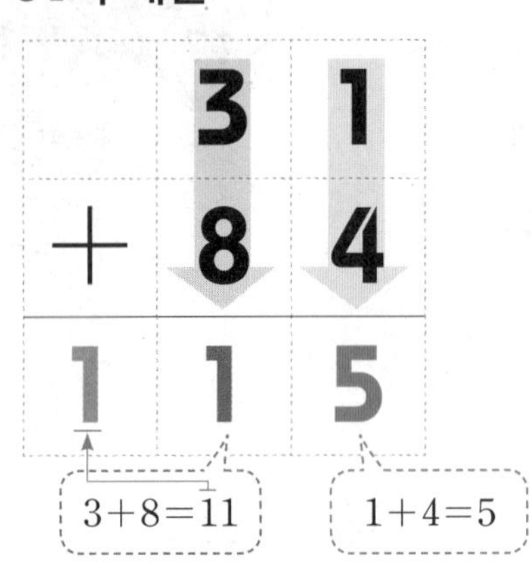

$31+84=115$

1+4=5

3+8=11

계산을 하세요.

❶

	6	2
+	7	0

❷

	4	3
+	9	6

❸

	4	7
+	9	0

❹

	7	3
+	8	1

❺

	5	5
+	8	2

❻

	9	1
+	7	3

❼

	6	6
+	9	1

❽

	3	6
+	7	1

❾

	7	3
+	6	2

제한 시간 5분

기초 계산 연습

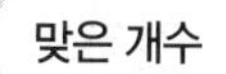

▶ 정답과 해설 7쪽

⑩

	5	1
+	8	2

⑪

	8	6
+	6	3

⑫

	7	2
+	7	5

⑬

	9	1
+	6	3

⑭

	9	7
+	4	0

⑮

	9	2
+	8	3

⑯

	6	4
+	8	5

⑰

	8	1
+	7	4

⑱

	9	5
+	6	3

⑲ 73+61=☐

+		

⑳ 44+72=☐

+		

㉑ 55+72=☐

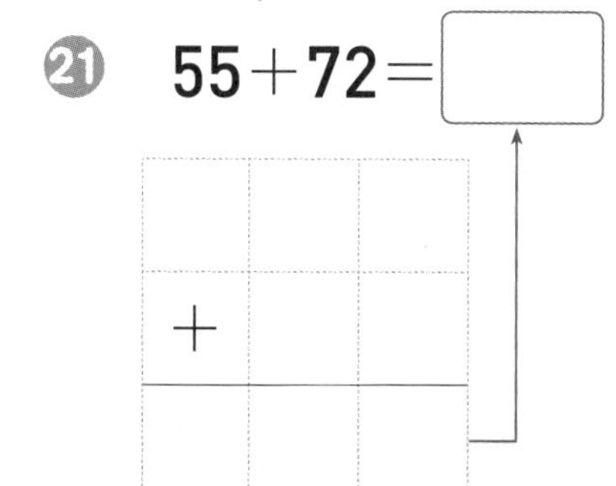

㉒ 62+45=☐

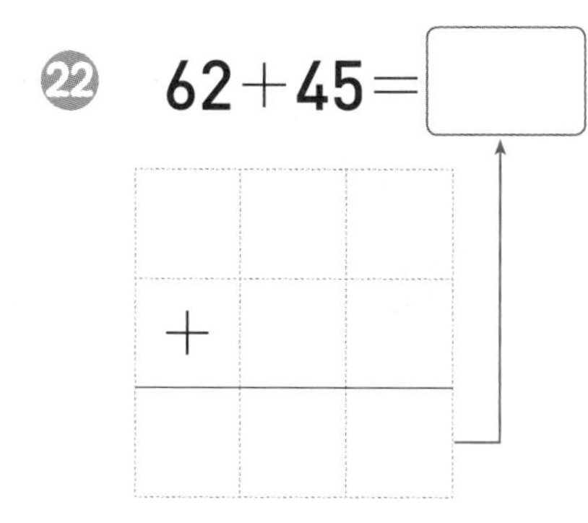

㉓ 52+61=☐

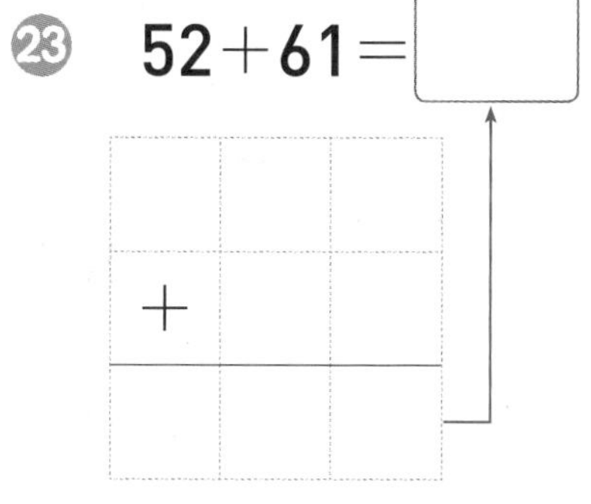

㉔ 93+25=☐

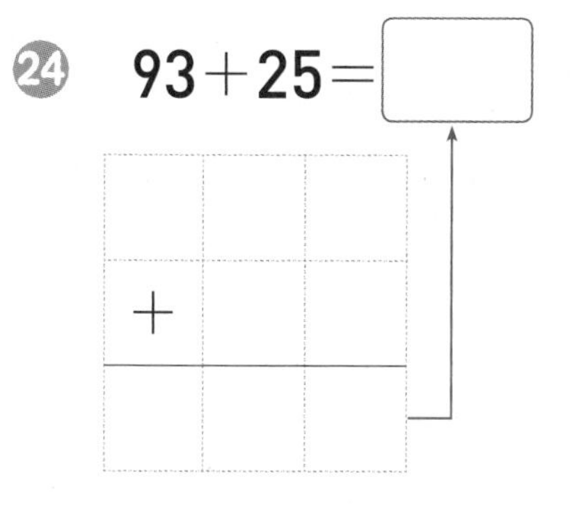

4 일차

십의 자리에서 받아올림이 있는 (두 자리 수)+(두 자리 수)

 계산을 하세요.

1 $23+94=\square$

$21+87=\square$

2 $65+92=\square$

$68+81=\square$

3 $95+31=\square$

$97+22=\square$

4 $74+51=\square$

$76+93=\square$

빈칸에 알맞은 수를 써넣으세요.

5 43 → +85 → □

6 44 → +72 → □

7 51 → +63 → □

8 52 → +55 → □

9 82 → +61 → □

10 83 → +75 → □

생활 속 계산

 두 사람이 가진 사탕 수의 합을 구하세요.

11

난 사탕 74개를 갖고 있어.

내가 가진 사탕은 84개야.

□개

12

난 사탕 52개를 갖고 있어.

내가 가진 사탕은 73개야.

□개

13

내 사탕은 63개야.

내 사탕은 53개야.

□개

14

난 사탕 85개를 갖고 있어.

난 사탕 42개를 갖고 있어.

□개

문장 읽고 계산식 세우기

15 복숭아는 92개, 사과는 복숭아보다 51개 더 많다면 사과는 몇 개?

식 92+□=□(개)

16 참외는 73개, 오이는 참외보다 74개 더 많다면 오이는 몇 개?

식 73+□=□(개)

17 하은이의 구슬은 82개, 진서는 하은이보다 구슬을 51개 더 많이 갖고 있다면 진서의 구슬은 몇 개?

식 □+51=□(개)

18 수진이의 구슬은 85개, 정우는 수진이보다 구슬을 64개 더 많이 갖고 있다면 정우의 구슬은 몇 개?

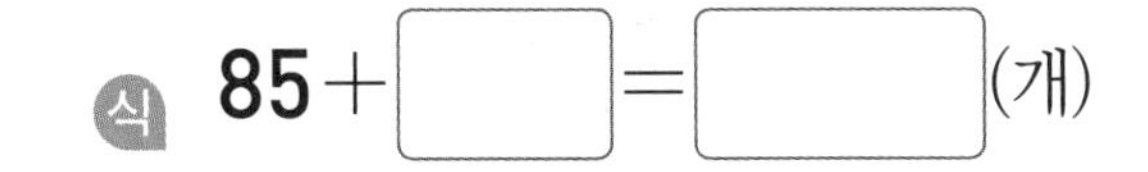

식 85+□=□(개)

5 일차 받아올림이 2번 있는 (두 자리 수)+(두 자리 수) (1)

이렇게 해결하자

• 52+69의 세로셈

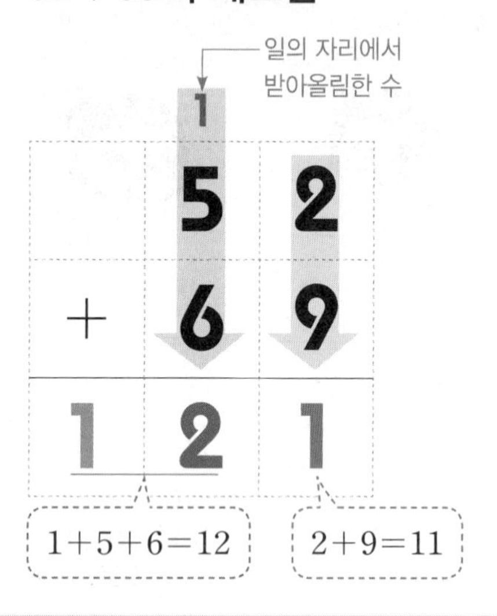

합이 10이거나 10보다 크면 바로 윗자리로 받아올림해요.

십 원으로 받아올림 했어요.

계산을 하세요.

❶

	8	7
+	3	5

❷

	2	8
+	8	3

❸

	6	9
+	4	8

❹

	9	7
+	5	4

❺

	7	8
+	6	7

❻

	6	7
+	3	7

❼

	4	6
+	9	8

❽

	8	6
+	6	7

❾

	6	9
+	5	2

제한 시간 5분

기초 계산 연습

맞은 개수 / 24개

▶ 정답과 해설 8쪽

⑩
	4	7
+	8	4

⑪
	5	8
+	4	8

⑫
	3	6
+	7	7

⑬
	6	9
+	7	7

⑭
	2	7
+	9	5

⑮
	7	5
+	4	8

⑯
	8	6
+	3	6

⑰
	9	3
+	3	9

⑱
	6	4
+	8	7

⑲ $76+47=$ □

+		

⑳ $83+49=$ □

+		

㉑ $75+59=$ □

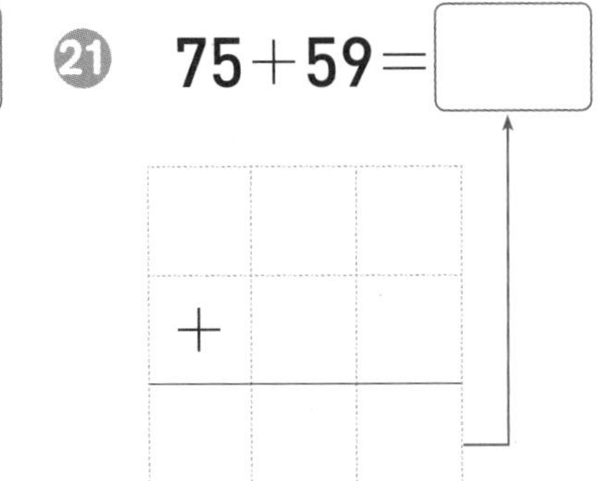

+		

㉒ $49+87=$ □

+		

㉓ $85+57=$ □

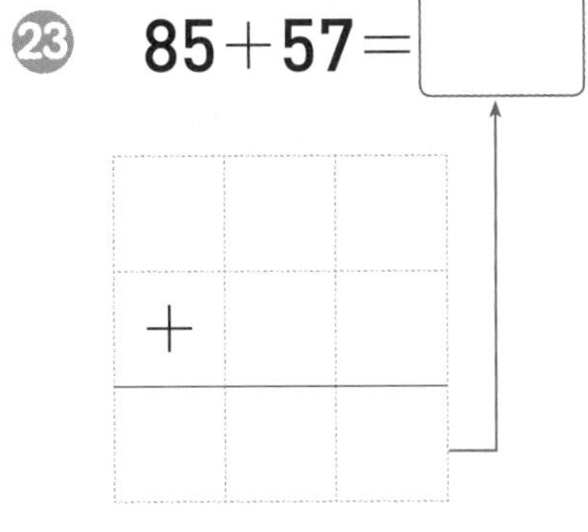

+		

㉔ $87+69=$ □

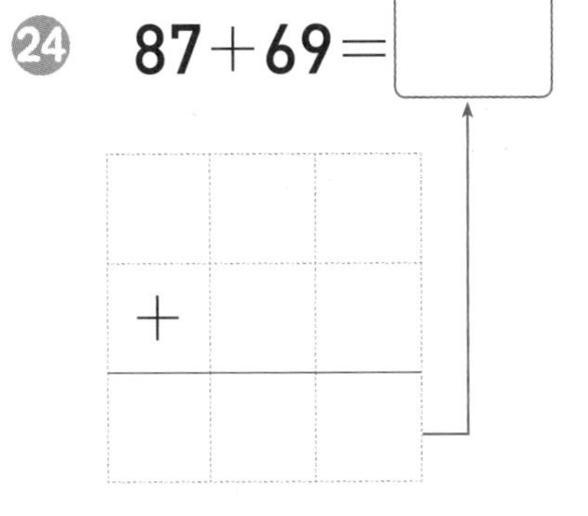

+		

5 일차 받아올림이 2번 있는 (두 자리 수)+(두 자리 수) (1)

계산을 하세요.

1 $\begin{array}{r} 74 \\ +\ 86 \\ \hline \end{array}$

2 $\begin{array}{r} 97 \\ +\ 28 \\ \hline \end{array}$

3 $\begin{array}{r} 68 \\ +\ 75 \\ \hline \end{array}$

4 $\begin{array}{r} 86 \\ +\ 57 \\ \hline \end{array}$

5 $\begin{array}{r} 69 \\ +\ 95 \\ \hline \end{array}$

6 $\begin{array}{r} 78 \\ +\ 59 \\ \hline \end{array}$

7 $\begin{array}{r} 84 \\ +\ 59 \\ \hline \end{array}$

8 $\begin{array}{r} 68 \\ +\ 89 \\ \hline \end{array}$

9 $\begin{array}{r} 76 \\ +\ 99 \\ \hline \end{array}$

빈칸에 알맞은 수를 써넣으세요.

10 79 → +75 → □

11 87 → +64 → □

12 66 → +54 → □

13 58 → +63 → □

14 45 → +78 → □

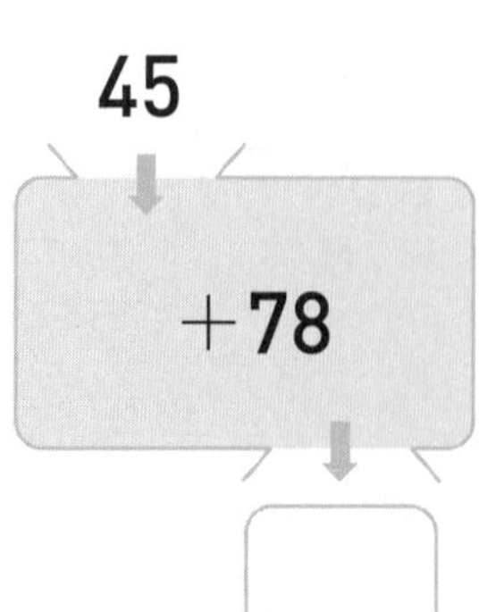

15 68 → +73 → □

플러스 계산 연습

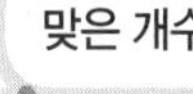

맞은 개수 / 20개

▶ 정답과 해설 8쪽

생활 속 계산

 밭에 심은 배추와 더 심은 배추 수입니다. 모두 몇 포기인지 구하세요.

16

	7	9
+	6	8

답 ____________ 포기

17

	5	6
+	9	5

답 ____________ 포기

18

	6	5
+	8	9

답 ____________ 포기

문장 읽고 계산식 세우기

19 도토리 73개와 솔방울 69개는 모두 몇 개?

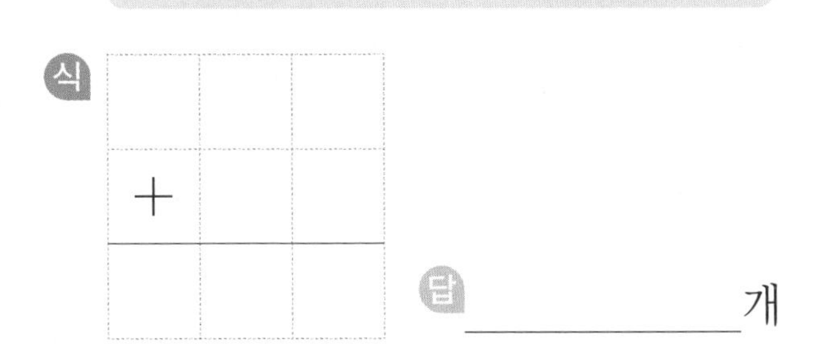

식

+		

답 ____________ 개

20 도토리 69개와 솔방울 58개는 모두 몇 개?

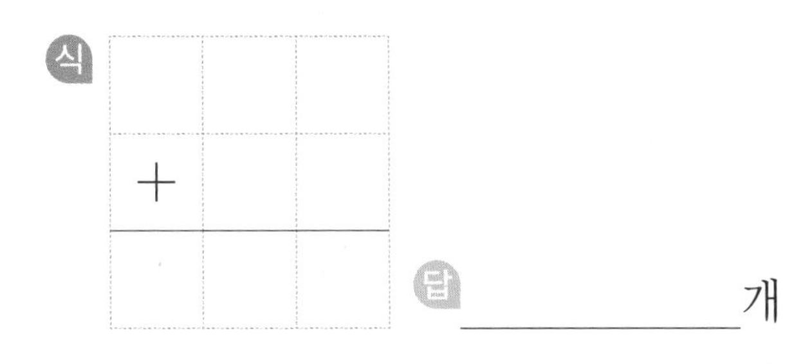

식

+		

답 ____________ 개

2 덧셈

받아올림이 2번 있는 (두 자리 수)+(두 자리 수) (2)

이렇게 해결하자

• 53+69의 가로셈

$$\overset{1}{5}3+69=122$$

3+9=12

1+5+6=12

일의 자리에서 받아올림한 수 1을 잊지 않고 반드시 더해요.

$$\begin{array}{r} 5\ 3 \\ +\ 6\ 9 \\ \hline 1\ 1\ 2 \end{array} \quad (\times)$$

$$\begin{array}{r} \overset{1}{5}\ 3 \\ +\ 6\ 9 \\ \hline 1\ 2\ 2 \end{array} \quad (\bigcirc)$$

계산을 하세요.

❶ 95+76=☐

❷ 58+79=☐

❸ 54+57=☐

❹ 76+89=☐

❺ 76+75=☐

❻ 57+89=☐

❼ 84+28=☐

❽ 77+69=☐

기초 계산 연습

맞은 개수 / 20개

▶ 정답과 해설 9쪽

⑨ $85+59=\square$

⑩ $96+54=\square$

⑪ $73+88=\square$

⑫ $88+77=\square$

⑬ $45+76=\square$

⑭ $89+54=\square$

⑮ $99+27=\square$

⑯ $58+69=\square$

⑰ $87+94=\square$

⑱ $47+89=\square$

⑲ $69+84=\square$

⑳ $86+47=\square$

받아올림이 2번 있는 (두 자리 수)+(두 자리 수) (2)

 계산해 보세요.

1 49+86=

2 97+48=

3 57+87=

4 93+77=

5 47+68=

6 96+48=

빈칸에 알맞은 수를 써넣으세요.

7 83 | +97 |

8 68 | +54 |

9 76 | +39 |

10 59 | +56 |

11 79 | +83 |

12 57 | +68 |

제한 시간 5분

플러스 계산 연습

맞은 개수 / 20개

▶ 정답과 해설 9쪽

생활 속 계산

농장에 있는 동물의 수입니다. 동물 수의 합을 구하세요.

동물	젖소	돼지	타조	양
동물의 수(마리)	65	76	67	49

13 젖소 + 돼지

➜ 65 + ☐ = ☐ (마리)

14 타조 + 양

➜ ☐ + 49 = ☐ (마리)

15 돼지 + 양 = ☐ (마리)

16 젖소 + 타조 = ☐ (마리)

문장 읽고 계산식 세우기

17 초록색 구슬 59개, 파란색 구슬 94개가 있다면 구슬은 모두 몇 개?

식 59 + ☐ = ☐ (개)

18 노란색 구슬 75개, 빨간색 구슬 46개가 있다면 구슬은 모두 몇 개?

식 75 + ☐ = ☐ (개)

19 미술관에 입장한 남자는 84명, 여자는 56명일 때 입장한 사람은 모두 몇 명?

식 84 + ☐ = ☐ (명)

20 미술관에 입장한 남자는 58명, 여자는 74명일 때 입장한 사람은 모두 몇 명?

식 58 + ☐ = ☐ (명)

7 일차 여러 가지 방법으로 덧셈하기 (1)

이렇게 해결하자

• 37+24의 계산

방법 1

24=20+4

$37+24=37+20+4$
$=57+4$
$=61$

① 57
② 61

57에 4를 더해요.

37과 20을 먼저 더해요.

방법 2

3+21

$37+24=37+3+21$
$=40+21$
$=61$

37에 3을 더해서 40을 만들어요.

보기 와 같은 방법으로 계산해 보세요.

보기

$48+12=48+10+2$
$=58+2$
$=60$

❶ $26+17=26+10+\square$
$=36+\square$
$=\square$

❷ $65+28=65+20+\square$
$=85+\square$
$=\square$

❸ $54+43=54+\square+3$
$=\square+3$
$=\square$

❹ $75+16=75+\square+6$
$=\square+6$
$=\square$

❺ $27+35=27+\square+5$
$=\square+5$
$=\square$

제한 시간 5분

기초 계산 연습

맞은 개수 / 12개

▶ 정답과 해설 9쪽

보기 와 같은 방법으로 계산해 보세요.

보기

$29+46=29+1+45$

$=30+45$ → 29에 1을 더해서 30을 만들어요.

$=75$

⑥ $59+35=59+\square+34$

$=\square+34$

$=\square$

⑦ $47+34=47+\square+31$

$=\square+31$

$=\square$

⑧ $48+13=48+\square+11$

$=\square+11$

$=\square$

⑨ $28+34=28+\square+32$

$=\square+32$

$=\square$

⑩ $69+17=69+\square+16$

$=\square+16$

$=\square$

⑪ $67+15=67+3+\square$

$=70+\square$

$=\square$

⑫ $39+24=39+1+\square$

$=40+\square$

$=\square$

7 일차

여러 가지 방법으로 덧셈하기 (1)

□ 안에 알맞은 수를 써넣으세요.

1 $29+45=29+\square+5$
$=\square+5$
$=\square$

2 $36+27=36+\square+7$
$=\square+7$
$=\square$

3 $47+28=47+\square+8$
$=\square+8$
$=\square$

4 $58+36=58+\square+6$
$=\square+6$
$=\square$

5 $69+12=69+\square+11$
$=\square+11$
$=\square$

6 $78+19=78+\square+17$
$=\square+17$
$=\square$

7 $57+13=57+\square+10$
$=\square+10$
$=\square$

8 $68+13=68+\square+11$
$=\square+11$
$=\square$

제한 시간 5분

플러스 계산 연습

맞은 개수 / 14개

▶ 정답과 해설 9쪽

서로 다른 2가지 방법으로 계산해 보세요.

9 $28+34$

방법 1

방법 2

10 $48+33$

방법 1

방법 2

문장 읽고 문제 해결하기

11

59+23에서 59에 20을 먼저 더한 후 그 결과에 3을 더해요.

$59+23$

$=59+\square+\square=\square$

12

57+16에서 57에 10을 먼저 더한 후 그 결과에 6을 더해요.

$57+16$

$=57+\square+\square=\square$

13

67+14에서 67에 3을 먼저 더해서 70을 만든 후 계산해요.

$67+14$

$=67+\square+\square=\square$

14

68+15에서 68에 2를 먼저 더해서 70을 만든 후 계산해요.

$68+15$

$=68+\square+\square=\square$

8 일차

여러 가지 방법으로 덧셈하기 (2)

이렇게 해결하자

• 37+24의 계산

방법 3

$37+24=30+20+7+4$

$=50+11$

$=61$

① ② 50 11 ③ 61

30과 20을 먼저 더해요.

7과 4를 더해요.

50과 11을 더해요.

방법 4

$37+24=31+6+24$

$=31+30$

$=61$

37=31+6

6+24=30

보기 와 같은 방법으로 계산해 보세요.

보기

$29+18=20+10+9+8$

$=30+17$

$=47$

❶ $65+26=60+\square+5+6$

$=\square+11$

$=\square$

❷ $44+28=40+20+4+\square$

$=60+\square$

$=\square$

❸ $39+46=30+40+9+\square$

$=70+\square$

$=\square$

❹ $25+37=20+\square+5+7$

$=\square+12$

$=\square$

❺ $58+23=50+\square+8+3$

$=\square+11$

$=\square$

기초 계산 연습

맞은 개수 / 12개

▶ 정답과 해설 10쪽

보기 와 같은 방법으로 계산해 보세요.

보기

$13+68=11+2+68$

$13=11+2$

$=11+70$

$=81$

⑥ $27+47=24+\square+47$

$=24+\square$

$=\square$

⑦ $15+28=13+\square+28$

$=13+\square$

$=\square$

⑧ $44+27=41+\square+27$

$=41+\square$

$=\square$

⑨ $26+48=24+\square+48$

$=24+\square$

$=\square$

⑩ $13+39=12+\square+\square$

$=12+\square$

$=\square$

⑪ $25+36=\square+4+36$

$=21+\square$

$=\square$

⑫ $26+47=23+\square+47$

$=23+\square$

$=\square$

8 일차

여러 가지 방법으로 덧셈하기 (2)

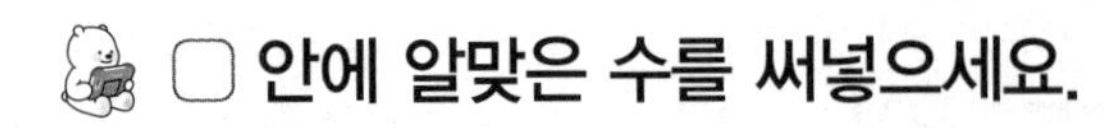

□ 안에 알맞은 수를 써넣으세요.

1 $39+45$

$=30+\square+9+5$

$=\square+14=\square$

2 $45+27$

$=40+\square+5+7$

$=\square+12=\square$

3 $56+28$

$=50+\square+6+8$

$=\square+14=\square$

4 $67+26$

$=60+\square+7+6$

$=\square+13=\square$

5 $62+19$

$=61+\square+19$

$=61+\square=\square$

6 $75+19$

$=74+\square+19$

$=74+\square=\square$

7 $53+17$

$=50+\square+17$

$=50+\square=\square$

8 $73+28$

$=71+\square+28$

$=71+\square=\square$

플러스 계산 연습

맞은 개수 / 14개

▶ 정답과 해설 10쪽

서로 다른 2가지 방법으로 계산해 보세요.

9 $23+39$

방법 1

방법 2

10 $53+38$

방법 1

방법 2

문장 읽고 문제 해결하기

11 47+35에서 십의 자리끼리, 일의 자리끼리 더한 후 각 결과를 더해요.

$47+35$

$=40+\square+7+\square$

$=70+\square=\square$

12 26+45에서 십의 자리끼리, 일의 자리끼리 더한 후 각 결과를 더해요.

$26+45$

$=20+\square+6+\square$

$=60+\square=\square$

13 14+67에서 67에 3을 먼저 더해서 70을 만든 후 계산해요.

$14+67$

$=11+\square+\square$

$=11+\square=\square$

14 16+57에서 57에 3을 먼저 더한 후 그 결과에 13을 더해요.

$16+57$

$=13+\square+\square$

$=13+\square=\square$

평가 SPEED 연산력 TEST

 계산을 하세요.

❶
$$\begin{array}{r} 78 \\ +\ \ 5 \\ \hline \end{array}$$

❷
$$\begin{array}{r} 28 \\ +\ \ 6 \\ \hline \end{array}$$

❸
$$\begin{array}{r} 4 \\ +\ 37 \\ \hline \end{array}$$

❹
$$\begin{array}{r} 39 \\ +\ \ 5 \\ \hline \end{array}$$

❺
$$\begin{array}{r} 9 \\ +\ 65 \\ \hline \end{array}$$

❻
$$\begin{array}{r} 9 \\ +\ 18 \\ \hline \end{array}$$

❼ 32+29

❽ 75+29

❾ 83+35

❿ 81+47

⓫ 95+74

⓬ 56+67

▶ 정답과 해설 10쪽

빈칸에 알맞은 수를 써넣으세요.

⑬
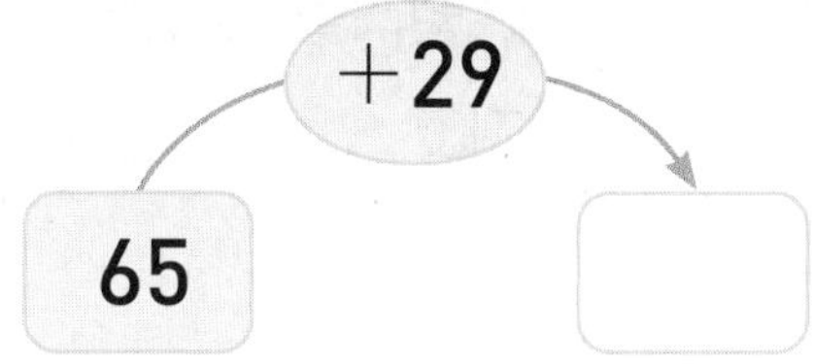

⑭
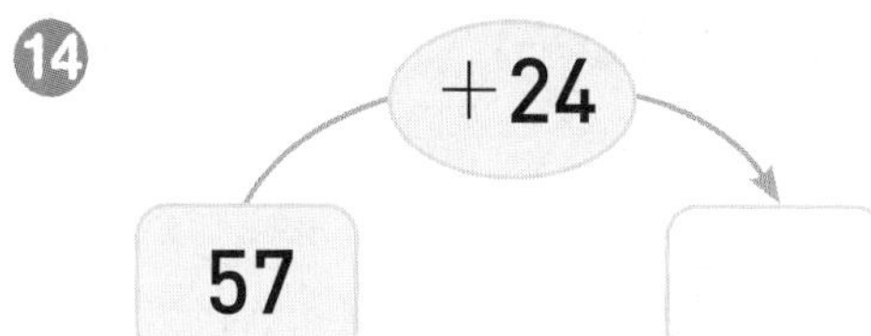

⑮
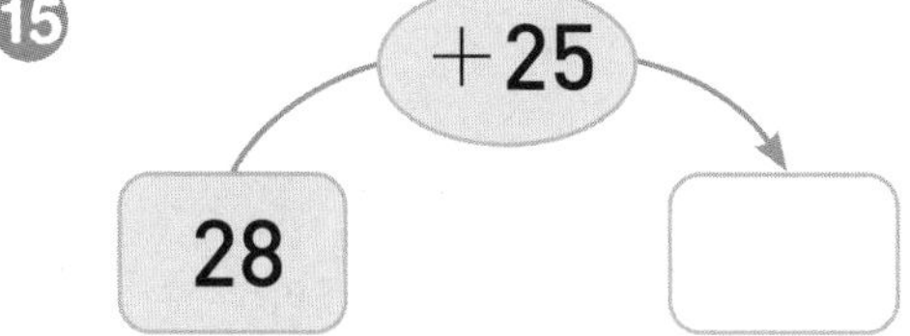

⑯
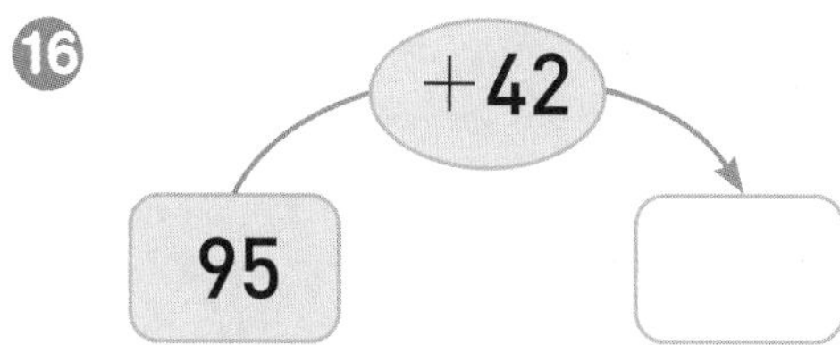

⑰ 74 | +68 |

⑱ 87 | +56 |

⑲

⑳

제한 시간 안에 정확하게
모두 풀었다면 여러분은 진정한 **계산왕!**

특강 문장제 문제 도전하기

1 $92+16=\square$ → 민석이는 사탕을 92개, 젤리를 16개 가지고 있습니다. 민석이가 가지고 있는 사탕과 젤리는 모두 몇 개일까요?

이 덧셈식이 실생활에서 어떤 상황에 이용될까요?

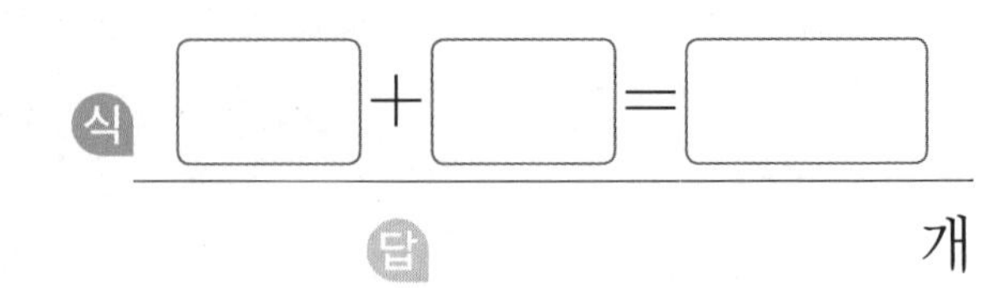

식 $\square+\square=\square$

답 ______ 개

2 $84+33=\square$ → 해수는 초콜릿을 84개, 젤리를 33개 가지고 있습니다. 해수가 가지고 있는 초콜릿과 젤리는 모두 몇 개일까요?

식 $\square+\square=\square$

답 ______ 개

3 $86+64=\square$ → 복숭아 통조림이 86개, 파인애플 통조림이 64개 있습니다. 통조림은 모두 몇 개일까요?

식 $\square+\square=\square$

답 ______ 개

▶정답과 해설 10쪽

문장을 읽고 알맞은 덧셈식을 세워 답을 구해 보자!

4 마당에 닭 **36**마리, 오리 **27**마리가 있습니다.
마당에 있는 닭과 오리는 모두 몇 마리일까요?

$\square + \square = \square$ (마리)

5 윤수와 아라가 딸기를 땄습니다.
두 사람이 딴 딸기는 모두 몇 개일까요?

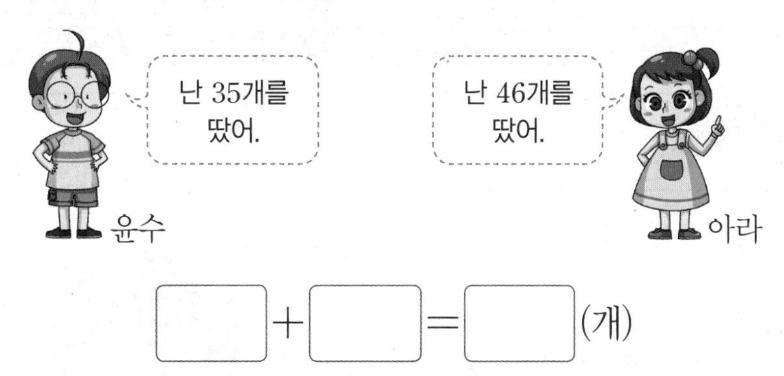

$\square + \square = \square$ (개)

6 서후와 민지가 감자를 캤습니다.
두 사람이 캔 감자는 모두 몇 개일까요?

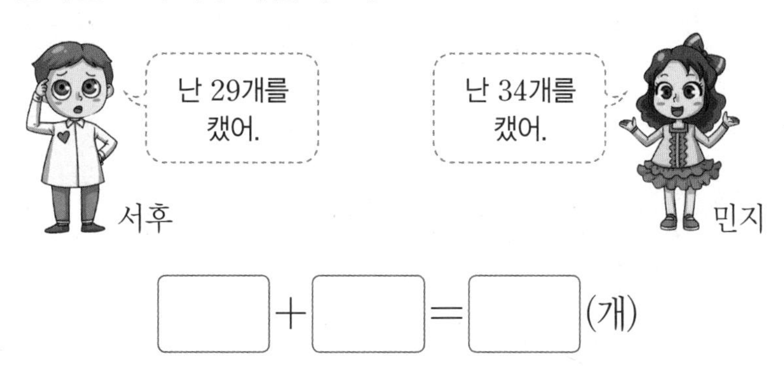

$\square + \square = \square$ (개)

특강 창의·융합·코딩·도전하기

누구의 지우개가 가장 많을까?

창의 1 지우개를 가장 많이 갖고 있는 친구의 이름을 쓰세요.

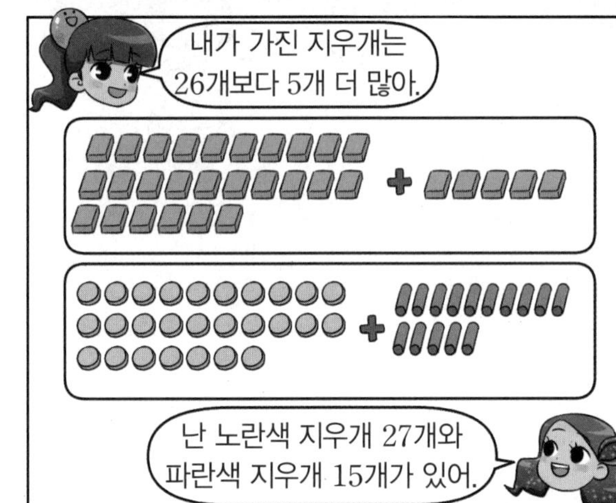

수야

$$\begin{array}{r} 26 \\ +\ \ 5 \\ \hline \end{array}$$

초록

$$\begin{array}{r} 27 \\ +\ 15 \\ \hline \end{array}$$

토토

$$\begin{array}{r} 28 \\ +\ \ 5 \\ \hline \end{array}$$

지우개를 가장 많이 갖고 있는 친구는 [ ] 입니다.

▶정답과 해설 10쪽

보기 와 같이 계산 결과가 틀린 것을 찾아 ×표 하여 풍선을 끊어 보세요.

보기

(1)

(2)

(3)

3 뺄셈

실생활에서 알아보는 재미있는 수학 이야기

이번에 배울 내용을 알아볼까요?

- 1일차 (두 자리 수)−(한 자리 수)
- 2일차 (몇십)−(두 자리 수)
- 3일차 ~ 4일차 (두 자리 수)−(두 자리 수)
- 5일차 ~ 6일차 여러 가지 방법으로 뺄셈하기

1 일차

(두 자리 수) − (한 자리 수)

이렇게 해결하자

	3	2
−		7

➔

	2	10
	~~3~~	2
−		7
	2	5

2−7을 할 수 없으니까 십의 자리 수 3을 지우고 위에 2를 작게 쓴 다음 일의 자리 위에 10을 작게 쓰고 12에서 7을 뺀 값을 일의 자리에 내려 써요.

2 − 7 = 12 − 7

계산해 보세요.

❶

	3	1
−		8

❷

	2	4
−		5

❸

	4	3
−		8

❹

	5	3
−		7

❺

	6	5
−		7

❻

	8	1
−		9

❼

	9	2
−		6

❽

	7	6
−		9

❾

	5	4
−		6

기초 계산 연습

맞은 개수 / 24개

▶ 정답과 해설 11쪽

⑩

	3	3
−		7

⑪

	3	4
−		8

⑫

	2	1
−		7

⑬

	2	2
−		5

⑭

	4	1
−		5

⑮

	4	3
−		8

⑯

	5	4
−		7

⑰

	5	5
−		9

⑱

	8	3
−		9

⑲ $62-7=\square$

−		

⑳ $66-8=\square$

−		

㉑ $64-5=\square$

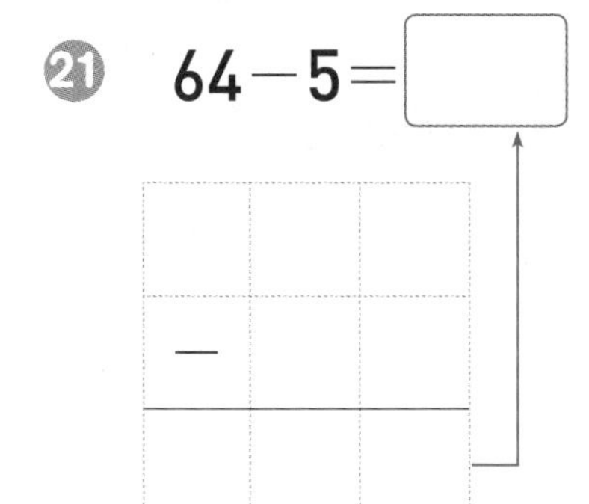

㉒ $71-3=\square$

−		

㉓ $73-4=\square$

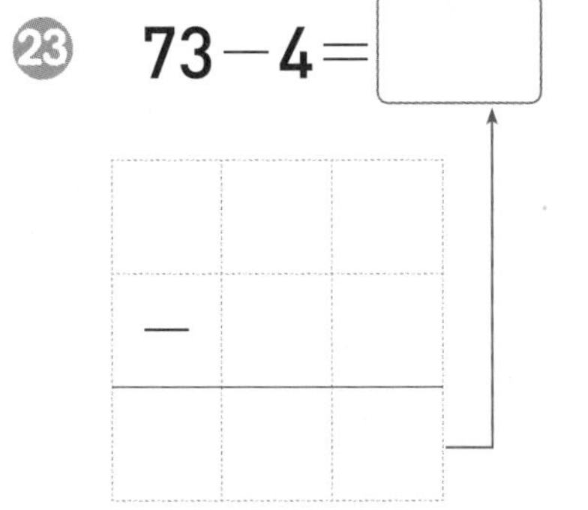

㉔ $76-8=\square$

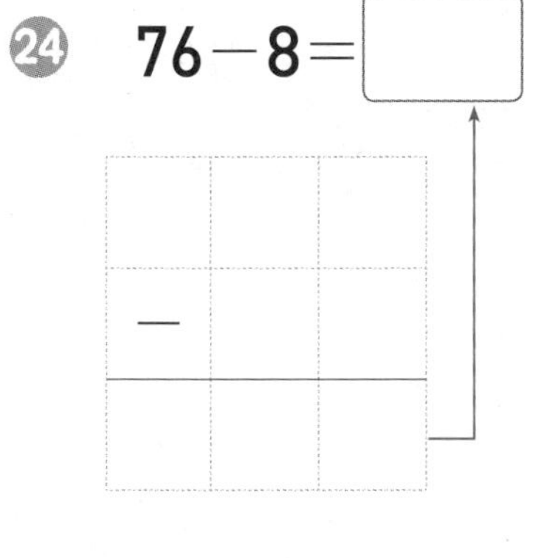

3 뺄셈

1 일차

(두 자리 수)－(한 자리 수)

계산해 보세요.

1 $53-6=\square$

$54-9=\square$

2 $42-9=\square$

$45-7=\square$

3 $22-7=\square$

$23-6=\square$

4 $86-7=\square$

$84-9=\square$

빈칸에 알맞은 수를 써넣으세요.

5

	⊖ →		
⊖ ↓	35	8	
24	7		

6

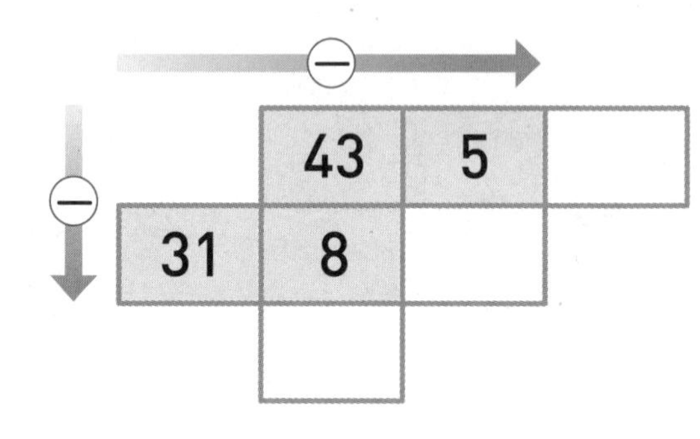

7

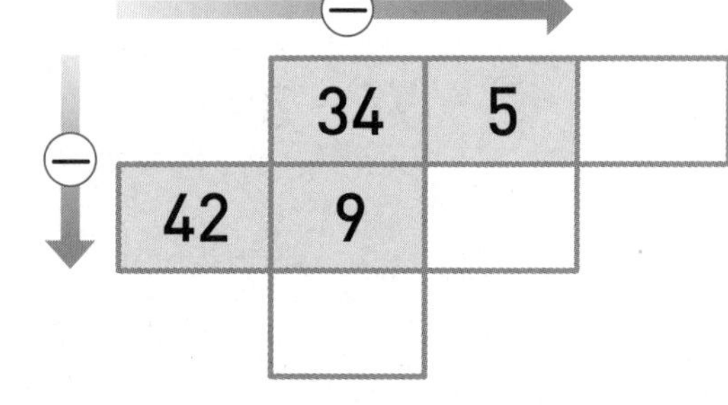

8

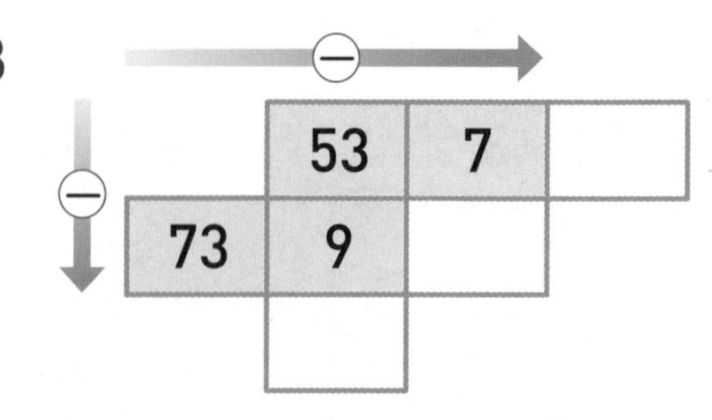

플러스 계산 연습

맞은 개수 / 16개

▶ 정답과 해설 11쪽

생활 속 계산

두 띠 종이의 길이의 차를 구하세요.

9

32 cm

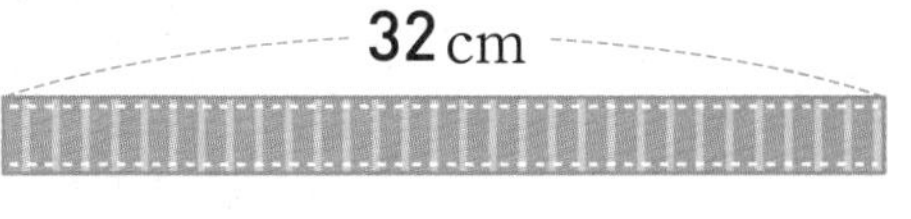

8 cm

☐ cm

cm └•길이를 재는 단위이고 센티미터라고 읽습니다.

10

41 cm

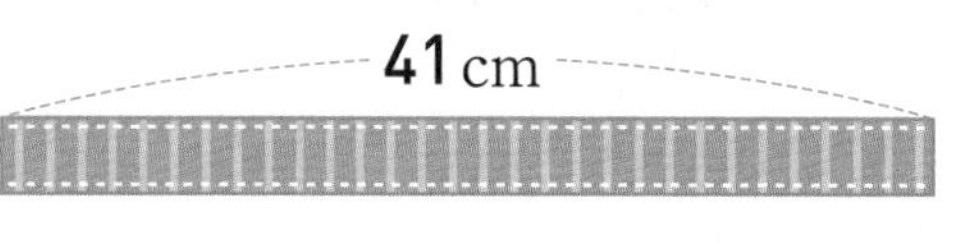

9 cm

☐ cm

11

53 cm

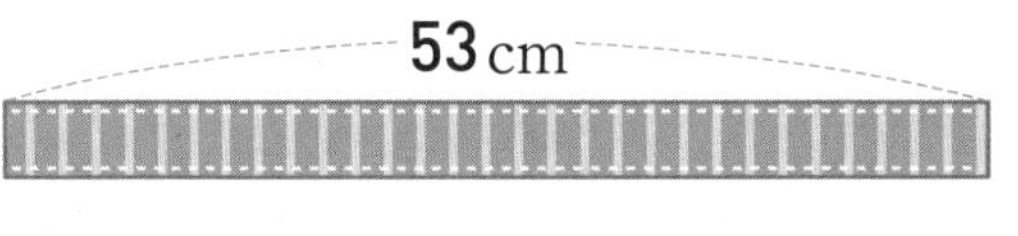

8 cm

☐ cm

12

64 cm

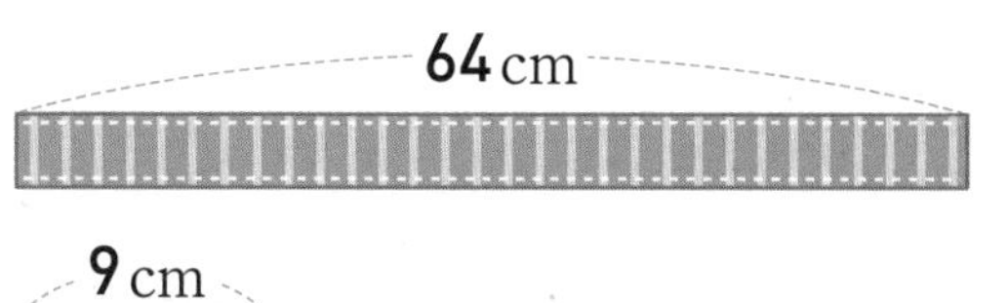

9 cm

☐ cm

문장 읽고 계산식 세우기

13 딸기 24개 중에서 9개를 먹으면 남는 것은 몇 개?

식 $24-9=$ ☐(개)

14 딸기 36개 중에서 8개를 먹으면 남는 것은 몇 개?

식 ☐ $-$ ☐ $=$ ☐(개)

15 귤 21개 중에서 7개를 먹으면 남는 것은 몇 개?

식 ☐ $-$ ☐ $=$ ☐(개)

16 귤 31개 중에서 4개를 먹으면 남는 것은 몇 개?

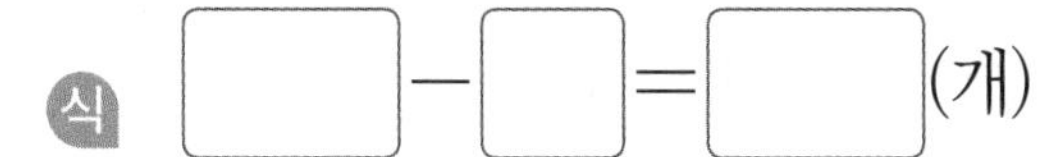

식 ☐ $-$ ☐ $=$ ☐(개)

2 일차

(몇십) − (두 자리 수)

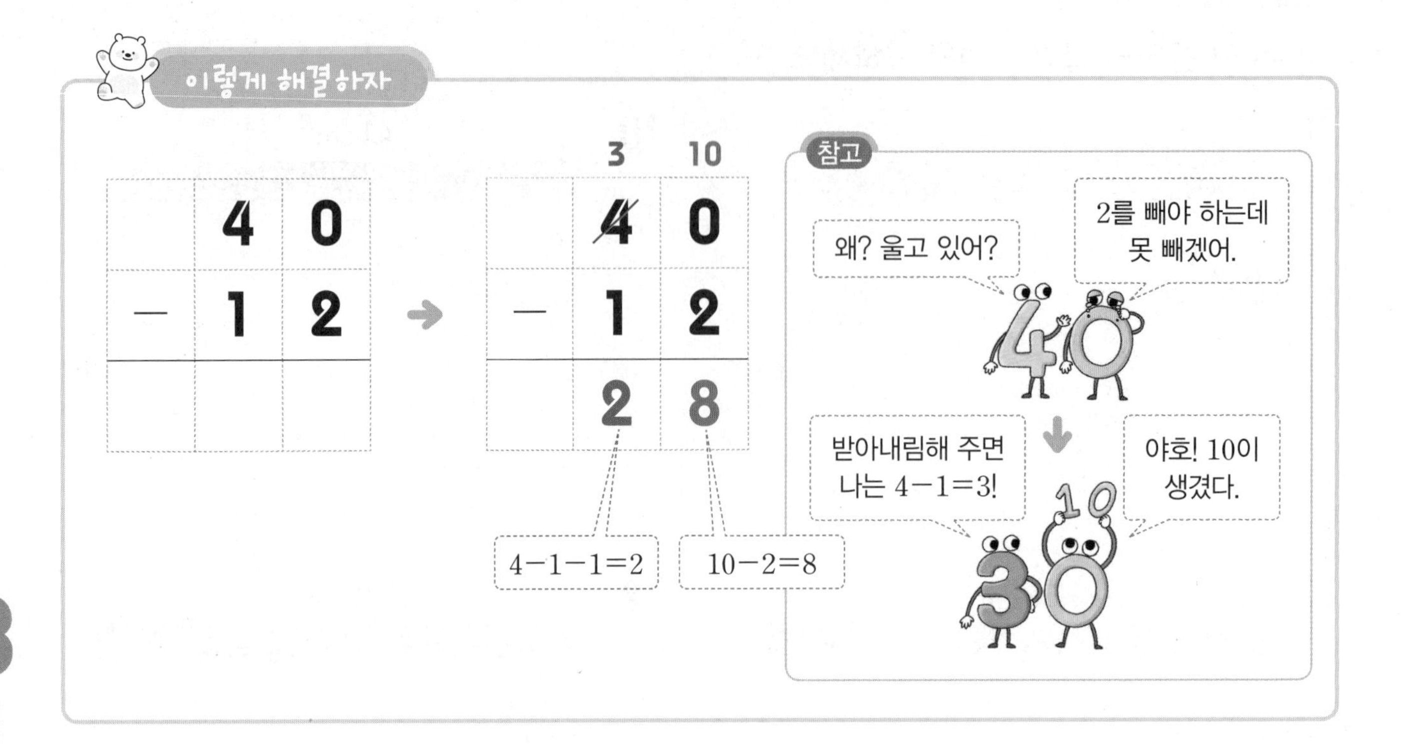

계산해 보세요.

❶

	3	0
−	1	3

❷

	5	0
−	4	6

❸

	6	0
−	2	4

❹

	7	0
−	4	5

❺

	9	0
−	6	1

❻

	8	0
−	5	2

❼

	6	0
−	3	7

❽

	7	0
−	3	8

❾

	5	0
−	1	9

제한 시간 6분

기초 계산 연습

맞은 개수 / 24개

▶ 정답과 해설 11쪽

⑩ $\begin{array}{r} 40 \\ -\ 23 \\ \hline \end{array}$

⑪ $\begin{array}{r} 40 \\ -\ 16 \\ \hline \end{array}$

⑫ $\begin{array}{r} 50 \\ -\ 12 \\ \hline \end{array}$

⑬ $\begin{array}{r} 50 \\ -\ 17 \\ \hline \end{array}$

⑭ $\begin{array}{r} 60 \\ -\ 16 \\ \hline \end{array}$

⑮ $\begin{array}{r} 60 \\ -\ 29 \\ \hline \end{array}$

⑯ $\begin{array}{r} 70 \\ -\ 27 \\ \hline \end{array}$

⑰ $\begin{array}{r} 70 \\ -\ 39 \\ \hline \end{array}$

⑱ $\begin{array}{r} 80 \\ -\ 35 \\ \hline \end{array}$

⑲ $\begin{array}{r} 80 \\ -\ 14 \\ \hline \end{array}$

⑳ $\begin{array}{r} 50 \\ -\ 13 \\ \hline \end{array}$

㉑ $\begin{array}{r} 90 \\ -\ 27 \\ \hline \end{array}$

㉒ $\begin{array}{r} 80 \\ -\ 41 \\ \hline \end{array}$

㉓ $\begin{array}{r} 90 \\ -\ 18 \\ \hline \end{array}$

㉔ $\begin{array}{r} 90 \\ -\ 49 \\ \hline \end{array}$

2 일차

(몇십)−(두 자리 수)

 계산해 보세요.

1 $40-24=\square$

$50-15=\square$

2 $50-29=\square$

$60-38=\square$

3 $30-19=\square$

$40-19=\square$

4 $70-18=\square$

$60-18=\square$

빈칸에 알맞은 수를 써넣으세요.

5

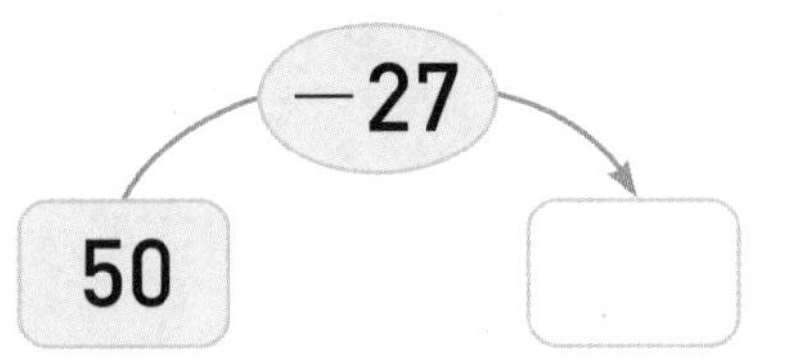

6

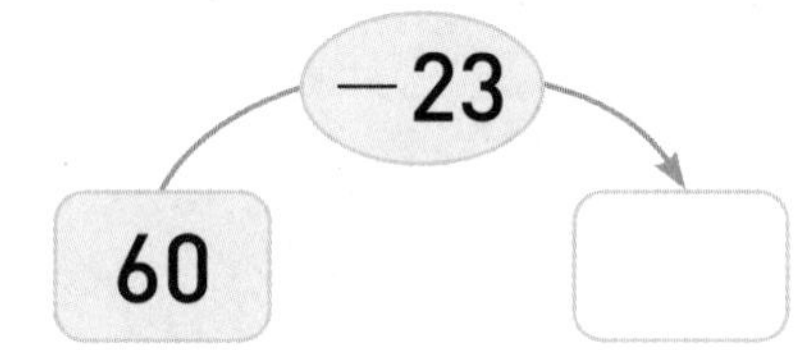

7

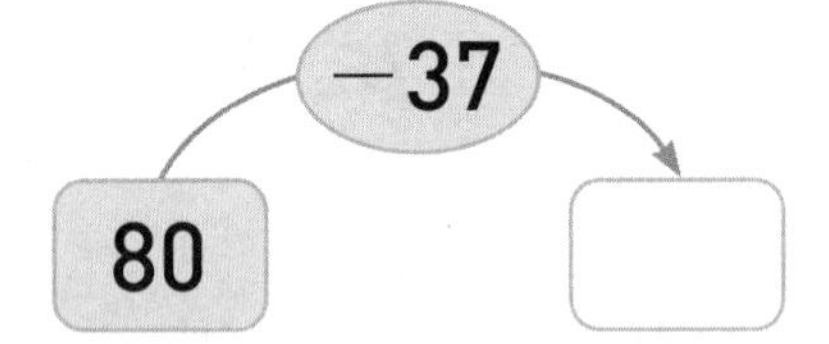

8

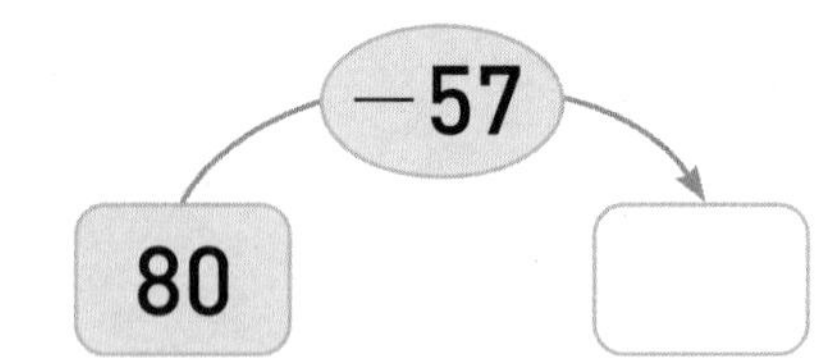

9

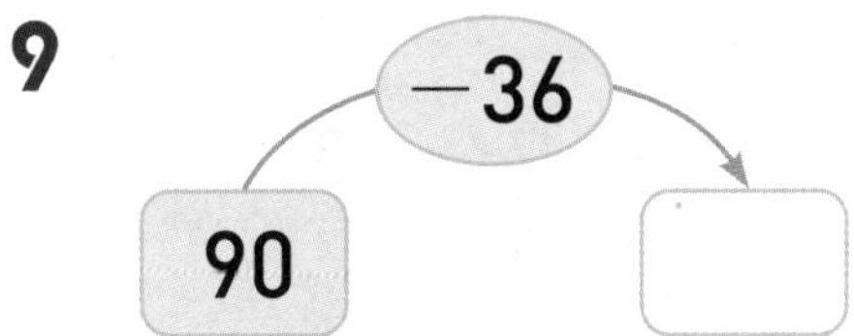

10

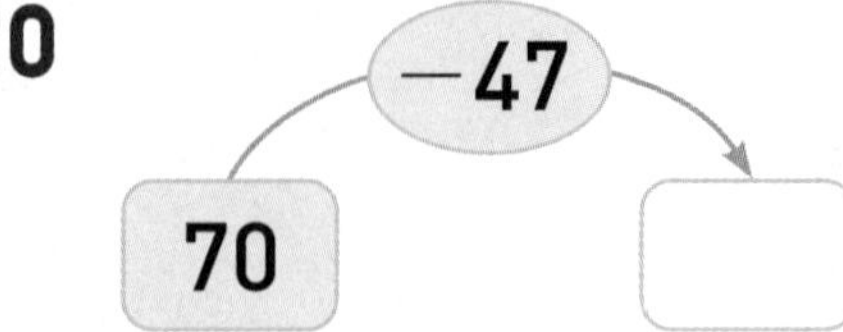

플러스 계산 연습

맞은 개수 / 18개

▶ 정답과 해설 11쪽

생활 속 계산

진형이와 친구들이 넘은 줄넘기 횟수입니다. 줄넘기 횟수의 차를 구하세요.

11 진형 − 서안

➜ 50 − 19 = □(개)

12 하은 − 지민

➜ 70 − 28 = □(개)

13 하은 − 서안

➜ □ − □ = □(개)

14 진형 − 지민

➜ □ − □ = □(개)

문장 읽고 계산식 세우기

15 70보다 58만큼 더 작은 수는?

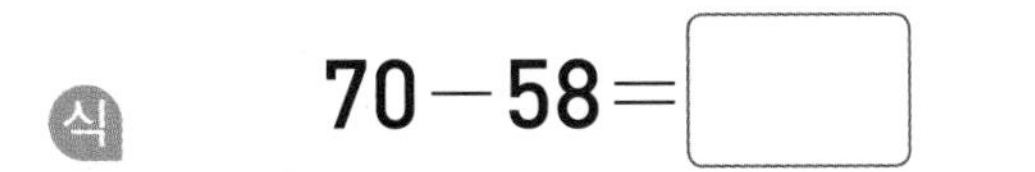

식 70 − 58 = □

16 90보다 59만큼 더 작은 수는?

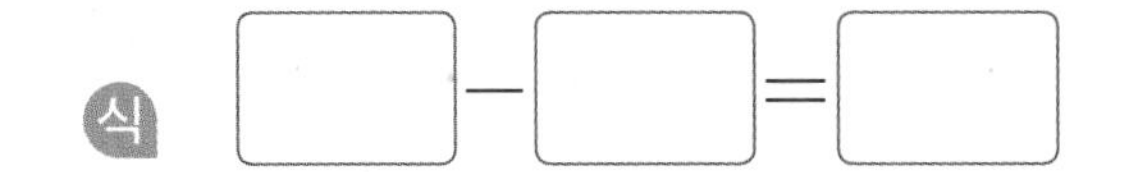

식 □ − □ = □

17 감자 50개, 고구마 17개가 있을 때 감자는 고구마보다 몇 개 더 많을까?

식 □ − □ = □(개)

18 가지 30개, 오이 16개가 있을 때 가지는 오이보다 몇 개 더 많을까?

식 □ − □ = □(개)

(두 자리 수)－(두 자리 수) (1)

이렇게 해결하자

• 42－14의 세로셈

	4	2
－	1	4

→

	3	10
	~~4~~	2
－	1	4
	2	8

4－1－1＝2

10＋2－4＝8

계산해 보세요.

❶

	3	3
－	1	5

❷

	4	2
－	1	6

❸

	5	4
－	3	9

❹

	7	1
－	2	5

❺

	8	3
－	5	8

❻

	6	2
－	2	8

❼

	9	4
－	4	7

❽

	6	3
－	1	9

❾

	7	2
－	2	7

기초 계산 연습

맞은 개수 / 24개

▶ 정답과 해설 12쪽

⑩

	8	3
−	1	5

⑪

	4	1
−	1	7

⑫

	5	2
−	3	9

⑬

	6	4
−	2	5

⑭

	8	4
−	4	9

⑮

	6	2
−	2	7

⑯

	5	2
−	1	7

⑰

	6	6
−	3	7

⑱

	4	6
−	1	9

⑲

	3	4
−	1	8

⑳

	7	4
−	1	9

㉑

	9	6
−	2	7

㉒

	7	5
−	2	6

㉓

	8	1
−	1	8

㉔

	9	3
−	1	7

(두 자리 수) − (두 자리 수) (1)

계산해 보세요.

1
$$\begin{array}{r} 43 \\ -\ 15 \\ \hline \end{array}$$

2
$$\begin{array}{r} 44 \\ -\ 27 \\ \hline \end{array}$$

3
$$\begin{array}{r} 52 \\ -\ 18 \\ \hline \end{array}$$

4
$$\begin{array}{r} 56 \\ -\ 29 \\ \hline \end{array}$$

5
$$\begin{array}{r} 64 \\ -\ 35 \\ \hline \end{array}$$

6
$$\begin{array}{r} 67 \\ -\ 48 \\ \hline \end{array}$$

7
$$\begin{array}{r} 84 \\ -\ 59 \\ \hline \end{array}$$

8
$$\begin{array}{r} 83 \\ -\ 64 \\ \hline \end{array}$$

9
$$\begin{array}{r} 75 \\ -\ 46 \\ \hline \end{array}$$

빈칸에 알맞은 수를 써넣으세요.

10 75

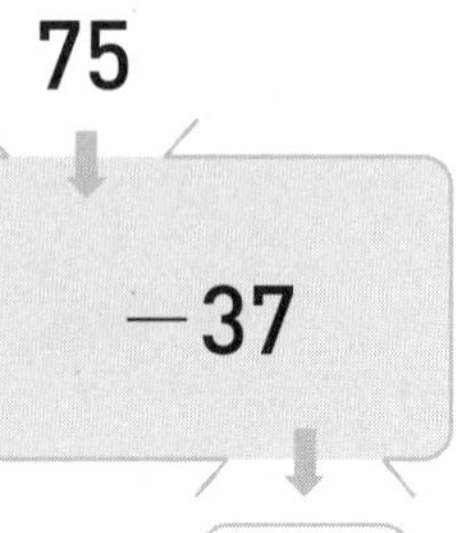

11 84

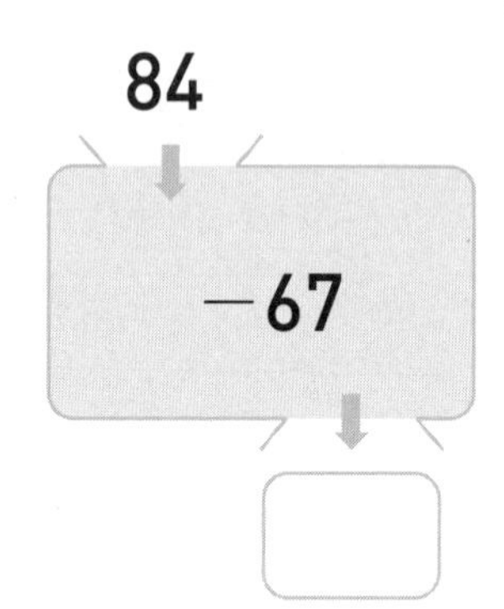

12 53

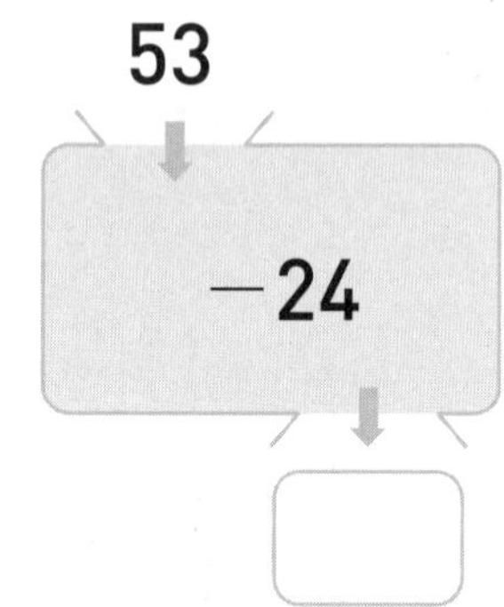

13 75

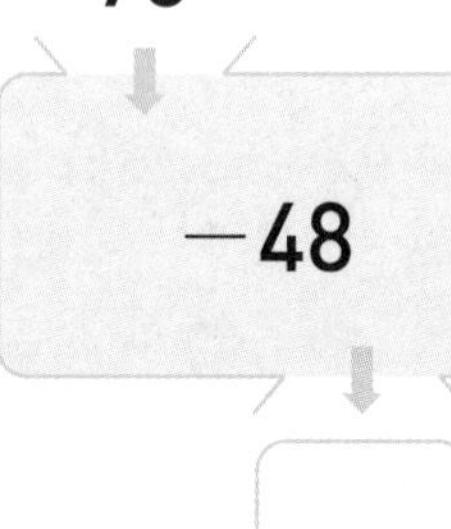

14 63

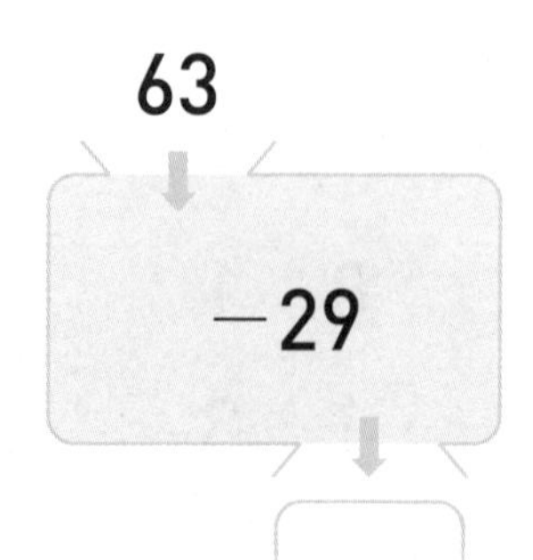

15 92

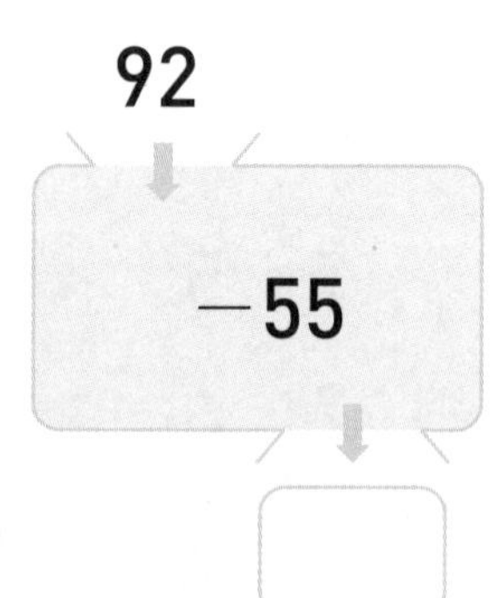

맞은 개수 / 21개

▶ 정답과 해설 12쪽

생활 속 계산

사다리 타기는 줄을 타고 내려가다 가로로 놓인 선을 만나면 가로선을 따라 가요.

보기 와 같이 사다리를 타면서 뺄셈을 하여 빈칸에 알맞은 수를 써넣으세요.

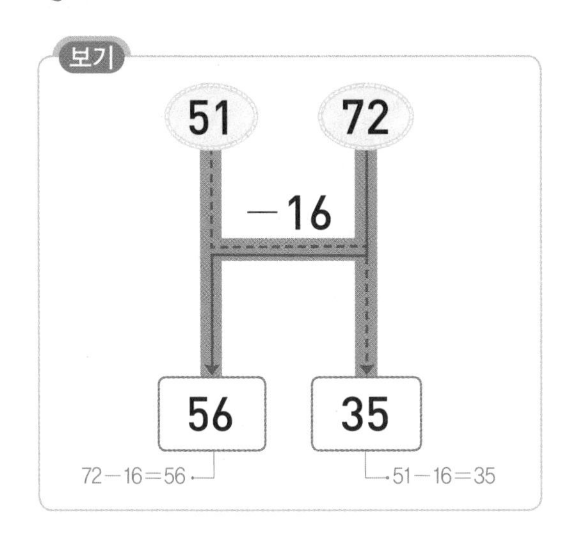

16

61 84

−28

17

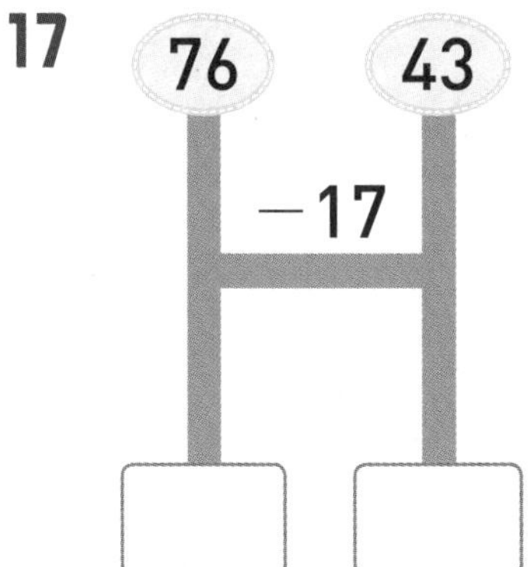

18

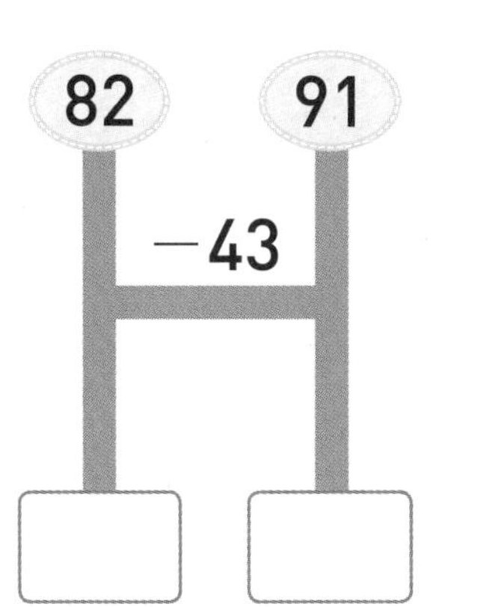

19

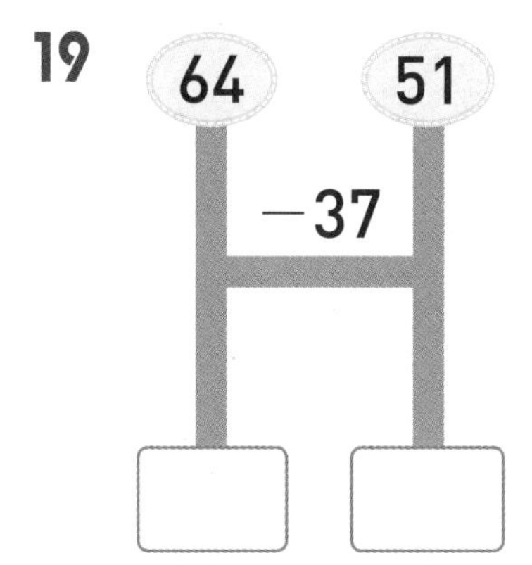

문장 읽고 계산식 세우기

20 클립 41개 중에서 13개를 사용했다면 남은 클립은 몇 개?

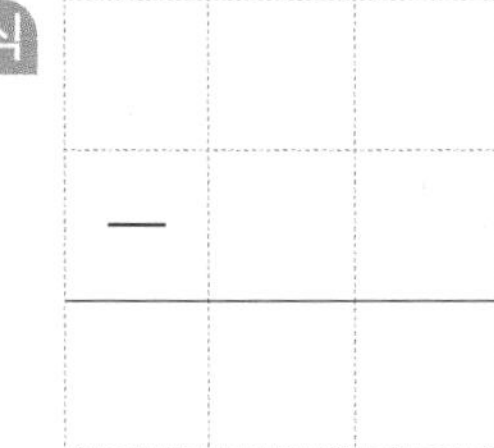

답

21 클립 33개 중에서 17개를 사용했다면 남은 클립은 몇 개?

식

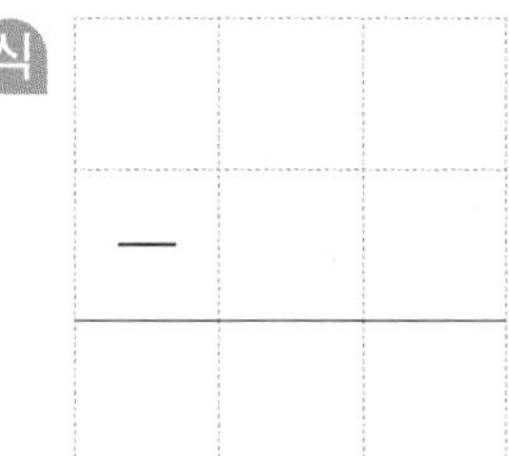

답 __________ 개

(두 자리 수) − (두 자리 수) (2)

이렇게 해결하자

• 42−14의 가로셈

$$\overset{3\ 10}{\cancel{4}2} - 14 = 28$$

10+2−4=8

3−1=2

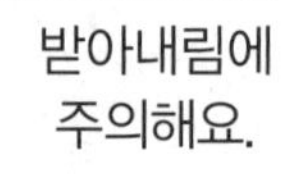

계산해 보세요.

❶ 36−17=☐

❷ 73−35=☐

❸ 45−19=☐

❹ 65−28=☐

❺ 92−39=☐

❻ 64−46=☐

❼ 71−34=☐

❽ 32−17=☐

❾ 62−35=☐

❿ 76−28=☐

⓫ 35−16=☐

⓬ 81−24=☐

기초 계산 연습

맞은 개수 / 28개

▶ 정답과 해설 12쪽

⑬ $81-45=\square$

⑭ $82-39=\square$

⑮ $36-18=\square$

⑯ $76-38=\square$

⑰ $81-36=\square$

⑱ $63-38=\square$

⑲ $53-19=\square$

⑳ $73-47=\square$

㉑ $82-19=\square$

㉒ $73-18=\square$

㉓ $54-19=\square$

㉔ $57-18=\square$

㉕ $52-16=\square$

㉖ $53-15=\square$

㉗ $63-18=\square$

㉘ $65-27=\square$

4 일차

(두 자리 수) − (두 자리 수) (2)

계산해 보세요.

1 $94-35=\square$

$93-38=\square$

2 $81-27=\square$

$82-35=\square$

3 $71-54=\square$

$73-59=\square$

4 $62-43=\square$

$65-37=\square$

빈칸에 알맞은 수를 써넣으세요.

5 51 → −29 → □

6 52 → −27 → □

7 73 → −37 → □

8 74 → −26 → □

9 94 → −45 → □

10 95 → −58 → □

▶ 정답과 해설 12쪽

생활 속 계산

 두 사람이 가진 사탕 수의 차를 구하세요.

11

난 사탕 25개를 갖고 있어.

내가 가진 사탕은 84개야.

□개

12

난 사탕 36개를 갖고 있어.

내가 가진 사탕은 74개야.

13

내 사탕은 63개야.

내 사탕은 49개야.

□개

14

난 사탕 85개를 갖고 있어.

난 사탕 57개를 갖고 있어.

□개

문장 읽고 계산식 세우기

15 사과 91개, 감 63개가 있다면 사과는 감보다 몇 개 더 많을까?

식 91 − □ = □(개)

16 자두 82개, 망고 38개가 있다면 자두는 망고보다 몇 개 더 많을까?

식 82 − □ = □(개)

17 빨간색 구슬 53개, 초록색 구슬 36개가 있을 때 빨간색 구슬은 초록색 구슬보다 몇 개 더 많을까?

식 □ − □ = □(개)

18 분홍색 구슬 65개, 보라색 구슬 47개가 있을 때 분홍색 구슬은 보라색 구슬보다 몇 개 더 많을까?

식 

5 일차

여러 가지 방법으로 뺄셈하기 (1)

이렇게 해결하자

• 34－29의 계산

방법 1

34에서 20을 먼저 뺀 후 9를 빼요.

$34-29=34-20-9$
$=14-9$
$=5$

방법 2

30에서 29를 빼요.

4는 더해요.

$34-29=30-29+4$ (34 → 30, 4)
$=1+4$
$=5$

보기 와 같은 방법으로 계산해 보세요.

보기

$45-16=45-10-6$
$=35-6$
$=29$

❶ $75-36=75-30-\square$
$=45-\square$
$=\square$

❷ $72-59=72-50-\square$
$=22-\square$
$=\square$

❸ $81-47=81-\square-7$
$=\square-7$
$=\square$

❹ $43-28=43-\square-8$
$=\square-8$
$=\square$

❺ $62-34=62-\square-4$
$=\square-4$
$=\square$

제한 시간 7분

기초 계산 연습

맞은 개수 / 12개

▶ 정답과 해설 13쪽

보기 와 같은 방법으로 계산해 보세요.

보기

$41-25=40-25+1$
$=15+1$
$=16$

⑥ $73-17=\square-17+3$
$=\square+3$
$=\square$

⑦ $71-34=\square-34+1$
$=\square+1$
$=\square$

⑧ $73-38=\square-38+3$
$=\square+3$
$=\square$

⑨ $67-29=60-29+\square$
$=31+\square$
$=\square$

⑩ $82-27=80-27+\square$
$=53+\square$
$=\square$

⑪ $85-58=80-\square+5$
$=\square+5$
$=\square$

⑫ $63-26=60-\square+3$
$=\square+3$
$=\square$

5 일차 여러 가지 방법으로 뺄셈하기 (1)

□ 안에 알맞은 수를 써넣으세요.

1 $86-29$

$=86-\square-9$

$=\square-9=\square$

2 $57-38$

$=57-\square-8$

$=\square-8=\square$

3 $74-28$

$=74-\square-8$

$=\square-8=\square$

4 $78-29$

$=78-\square-9$

$=\square-9=\square$

5 $62-19$

$=\square-19+2$

$=\square+2=\square$

6 $85-67$

$=80-\square+5$

$=\square+5=\square$

7 $53-18$

$=50-\square+3$

$=\square+3=\square$

8 $63-28$

$=60-\square+3$

$=\square+3=\square$

플러스 계산 연습

맞은 개수 / 14개

▶ 정답과 해설 13쪽

서로 다른 2가지 방법으로 계산해 보세요.

9 82－24

방법 1

방법 2

10 61－42

방법 1

방법 2

문장 읽고 문제 해결하기

11

73－49는 73에서 40을 먼저 뺀 후 9를 더 빼요.

73－49

＝73－☐－☐＝☐

12

63－18은 63에서 10을 먼저 뺀 후 8을 더 빼요.

63－18

＝63－☐－☐＝☐

13

56－17에서 56＝50＋6으로 생각해서 50에서 17을 빼고 6을 더해요.

56－17

＝50－☐＋6＝☐

14

84－26에서 84＝80＋4로 생각해서 80에서 26을 빼고 4를 더해요.

84－26

＝80－☐＋☐＝☐

6 일차 여러 가지 방법으로 뺄셈하기 (2)

이렇게 해결하자

• 34−29의 계산

방법 3

29를 빼야 하는데 30을 빼면 1을 더해야 해요.

$$34-29=34-30+1$$
$$=4+1$$
$$=5$$

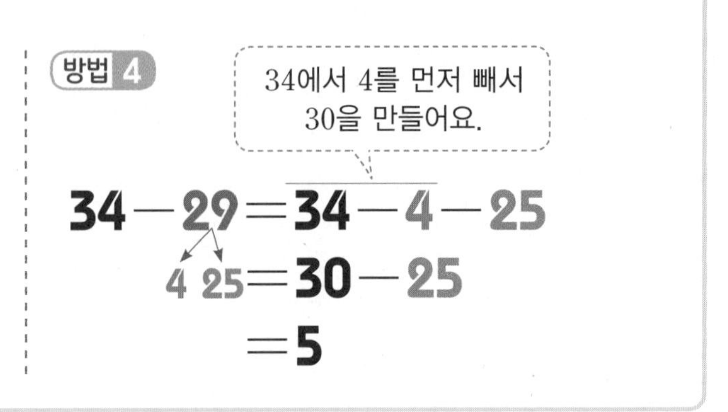

3 뺄셈

보기 와 같은 방법으로 계산해 보세요.

보기

$$72-28=72-30+2$$
$$=42+2$$
$$=44$$

❶ $63-27=63-30+\square$
$=33+\square$
$=\square$

❷ $52-19=52-20+\square$
$=32+\square$
$=\square$

❸ $75-28=75-\square+2$
$=\square+2$
$=\square$

❹ $64-39=64-\square+1$
$=\square+1$
$=\square$

❺ $81-57=81-\square+3$
$=\square+3$
$=\square$

제한 시간 7분

기초 계산 연습

맞은 개수 / 12개

▶ 정답과 해설 13쪽

[보기]와 같은 방법으로 계산해 보세요.

보기

$77-18=77-7-11$
$=70-11$
$=59$

❻ $76-28=76-6-\square$
$=\square-\square$
$=\square$

❼ $55-17=55-5-\square$
$=50-\square$
$=\square$

❽ $75-16=75-5-\square$
$=\square-\square$
$=\square$

❾ $76-39=76-6-\square$
$=\square-\square$
$=\square$

❿ $72-34=72-2-\square$
$=\square-\square$
$=\square$

⓫ $84-47=84-4-\square$
$=\square-\square$
$=\square$

⓬ $82-53=82-2-\square$
$=\square-\square$
$=\square$

6 일차

여러 가지 방법으로 뺄셈하기 (2)

□ 안에 알맞은 수를 써넣으세요.

1 $64-29$

$=64-\square+1$

$=\square+1=\square$

2 $45-17$

$=45-20+\square$

$=\square+3=\square$

3 $76-38$

$=76-40+\square$

$=\square+2=\square$

4 $75-47$

$=75-\square+3$

$=\square+3=\square$

5 $62-29$

$=62-2-\square$

$=\square-27=\square$

6 $73-19$

$=73-\square-16$

$=\square-16=\square$

7 $63-27$

$=63-\square-\square$

$=\square-24=\square$

8 $73-26$

$=73-\square-\square$

$=\square-23=\square$

제한 시간 7분

맞은 개수 / 14개

▶ 정답과 해설 14쪽

서로 다른 2가지 방법으로 계산해 보세요.

9 92−65

방법 1

방법 2

10 91−58

방법 1

방법 2

문장 읽고 문제 해결하기

11

41−23은 41에서 1을 먼저 뺀 후 22를 더 빼요.

41−23

=41−□−□=□

12

53−17은 53에서 3을 먼저 뺀 후 14를 더 빼요.

53−17

=53−3−□=□

13

62−17에서 17을 20−3으로 생각해서 계산해요.

62−17

=62−□+□=□

14

81−26에서 26을 30−4로 생각해서 계산해요.

81−26

=81−□+□=□

SPEED 연산력 TEST

계산해 보세요.

❶ $\begin{array}{r} 4\ 0 \\ -\ \ \ 7 \\ \hline \end{array}$

❷ $\begin{array}{r} 5\ 1 \\ -\ \ \ 3 \\ \hline \end{array}$

❸ $\begin{array}{r} 3\ 2 \\ -\ \ \ 4 \\ \hline \end{array}$

❹ $\begin{array}{r} 7\ 0 \\ -\ 1\ 9 \\ \hline \end{array}$

❺ $\begin{array}{r} 2\ 0 \\ -\ 1\ 6 \\ \hline \end{array}$

❻ $\begin{array}{r} 8\ 0 \\ -\ 3\ 7 \\ \hline \end{array}$

❼ $\begin{array}{r} 6\ 1 \\ -\ 4\ 3 \\ \hline \end{array}$

❽ $\begin{array}{r} 9\ 6 \\ -\ 5\ 8 \\ \hline \end{array}$

❾ $\begin{array}{r} 6\ 2 \\ -\ 2\ 9 \\ \hline \end{array}$

❿ $\begin{array}{r} 7\ 2 \\ -\ 4\ 3 \\ \hline \end{array}$

⓫ $\begin{array}{r} 8\ 1 \\ -\ 5\ 2 \\ \hline \end{array}$

⓬ $\begin{array}{r} 5\ 5 \\ -\ 1\ 6 \\ \hline \end{array}$

⓭ $\begin{array}{r} 7\ 4 \\ -\ 2\ 7 \\ \hline \end{array}$

⓮ $\begin{array}{r} 9\ 3 \\ -\ 5\ 9 \\ \hline \end{array}$

⓯ $\begin{array}{r} 4\ 2 \\ -\ 1\ 3 \\ \hline \end{array}$

▶ 정답과 해설 14쪽

빈칸에 두 수의 차를 써넣으세요.

⑯
43	19

⑰
50	29

⑱
60	35

⑲
91	55

⑳
36	19

㉑
83	27

㉒
95	27

㉓
52	29

㉔
66	28

㉕
63	35

제한 시간 안에 정확하게
모두 풀었다면 여러분은 진정한 **계산왕!**

특강

문장제 문제 도전하기

1 22－7＝□ ➜ 사탕이 22개 있습니다. 그중 7개를 먹었습니다. 남은 사탕은 몇 개일까요?

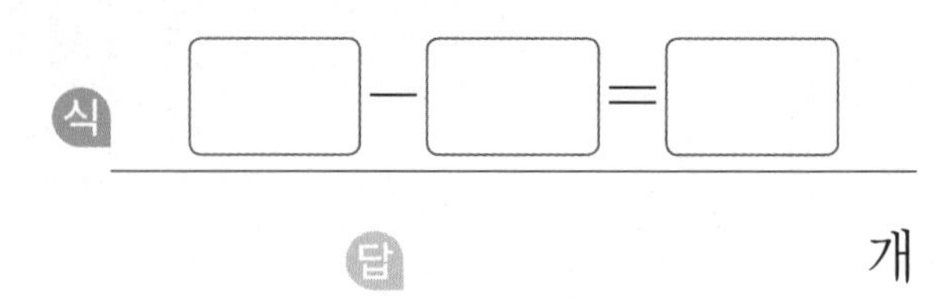

이 뺄셈식이 실생활에서 어떤 상황에 이용될까요?

2 30－14＝□ ➜ 주차장에 자동차가 30대 있습니다. 그중 14대가 빠져 나갔습니다. 주차장에 남아 있는 자동차는 몇 대일까요?

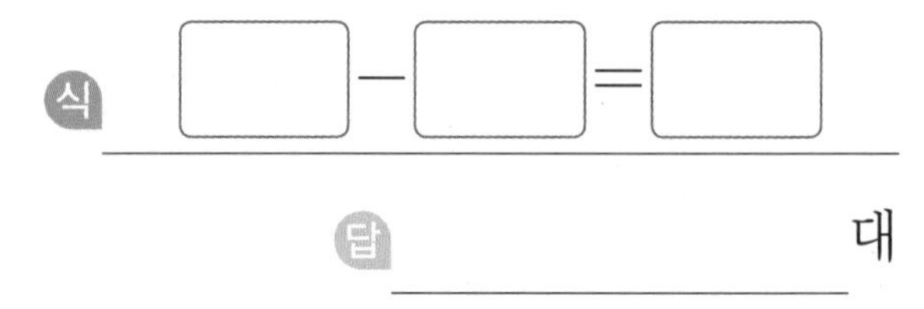

3 43－17＝□ ➜ 과자가 43봉지 있습니다. 그중 17봉지를 먹었습니다. 남은 과자는 몇 봉지일까요?

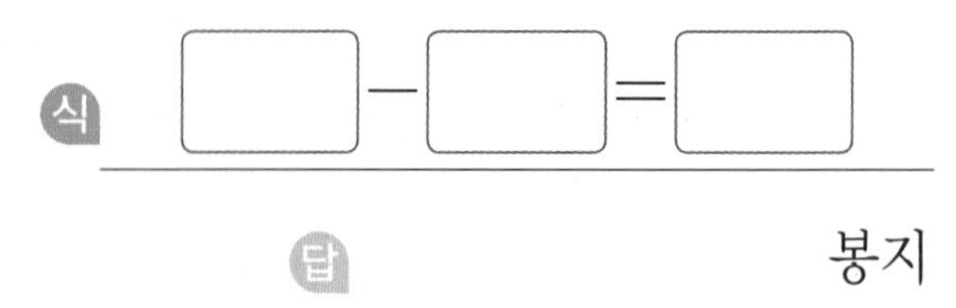

▶ 정답과 해설 14쪽

문장을 읽고 알맞은 뺄셈식을 세워 답을 구해 보자!

4 운동장에 **84**명이 있습니다. 잠시 후 교실로 **69**명이 들어 갔습니다.
운동장에 남아 있는 사람은 몇 명일까요?

식 ____________________

답 __________ 명

5 딱지를 지은이는 **63**개 가지고 있습니다.
정수는 지은이보다 **16**개 더 적게 가지고 있다면
정수가 가지고 있는 딱지는 몇 개일까요?

식 ____________________

답 __________ 개

6 세 사람이 한 윗몸일으키기 횟수입니다.
윗몸일으키기를 가장 많이 한 사람은 가장 적게 한 사람보다 몇 회 더 많이 했을까요?

식 ____________________

답 __________ 회

특강 창의·융합·코딩·도전하기

어떤 경기를 볼 수 있을까?

창의 1 축구, 야구, 농구 경기를 보려고 하는데 뺄셈 결과가 가장 큰 친구가 보고 싶은 경기를 보기로 했습니다. 어떤 경기를 보게 될까요?

$56-29=$ ☐ $52-16=$ ☐ $73-34=$ ☐

석진

지민

정국

답 ____________

▶정답과 해설 14쪽

창의 2 보기는 같은 선 위의 양쪽 끝에 있는 두 수의 차를 가운데에 쓴 것입니다. 보기와 같은 방법으로 빈칸에 알맞은 수를 써넣으세요.

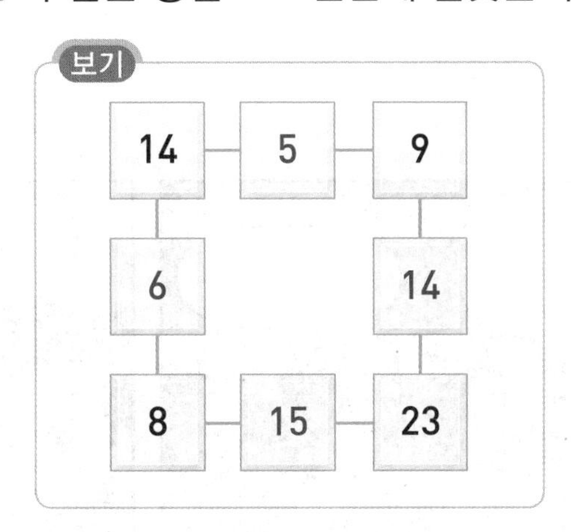

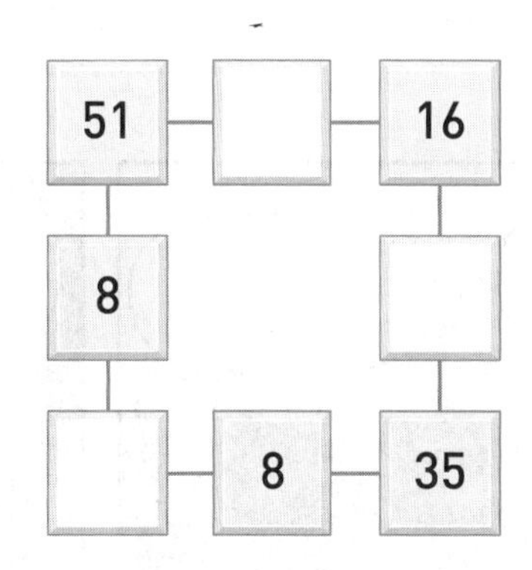

코딩 3 블록 명령어에 따라 지나온 칸에 쓰여 있는 수의 차를 표시하는 로봇이 있습니다.

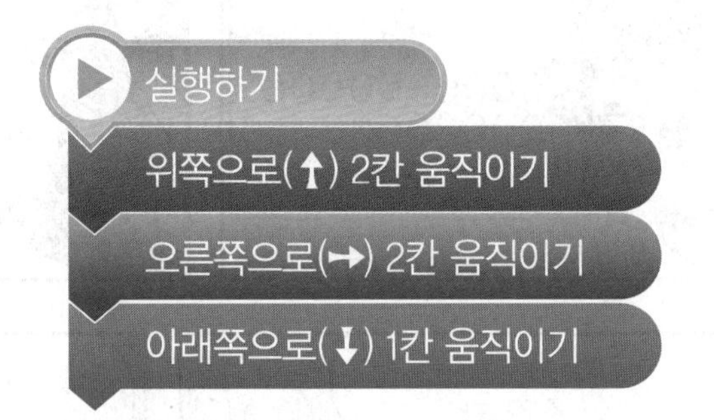

		17
24		
	30	81

위 명령을 실행했을 때 로봇에 표시된 수는 얼마일까요?

답

3 뺄셈

덧셈과 뺄셈

실생활에서 알아보는 재미있는 수학 이야기

이번에 배울 내용을 알아볼까요?

- 1일차 덧셈과 뺄셈의 관계를 식으로 나타내기
- 2일차 덧셈식에서 □의 값 구하기
- 3일차 뺄셈식에서 □의 값 구하기
- 4일차 ~ 7일차 세 수의 계산

1 일차

덧셈과 뺄셈의 관계를 식으로 나타내기

이렇게 해결하자

• 덧셈식을 뺄셈식으로 나타내기

$8+4=12$ → $12-8=4$, $12-4=8$

• 뺄셈식을 덧셈식으로 나타내기

$14-5=9$ → $9+5=14$, $5+9=14$

□ 안에 알맞은 수를 써넣으세요.

❶

$18+36=54$

$54-$ □ $=$ □

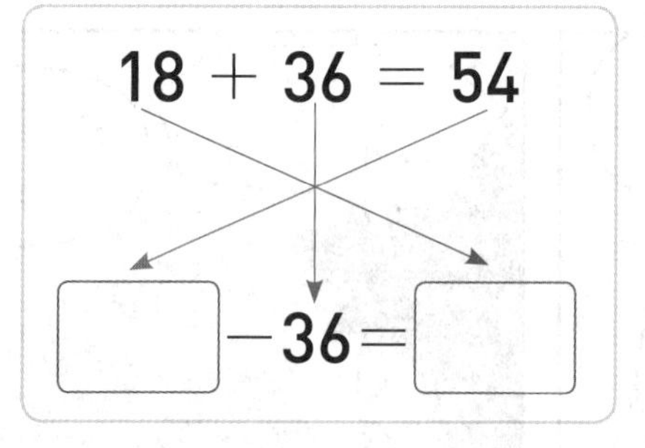

❷

$27-9=18$

$18+$ □ $=$ □

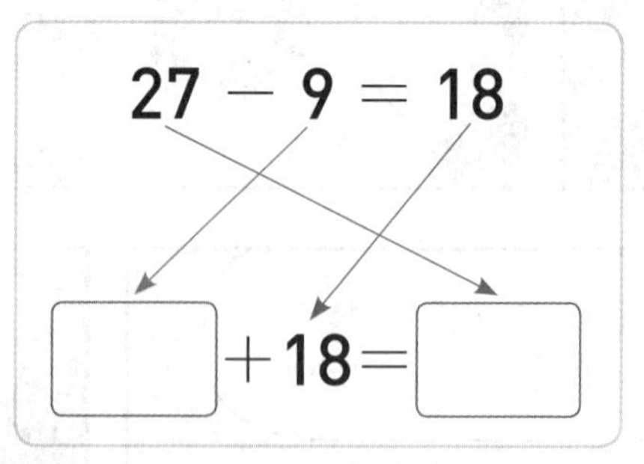

❸

$53-14=39$

$39+$ □ $=$ □

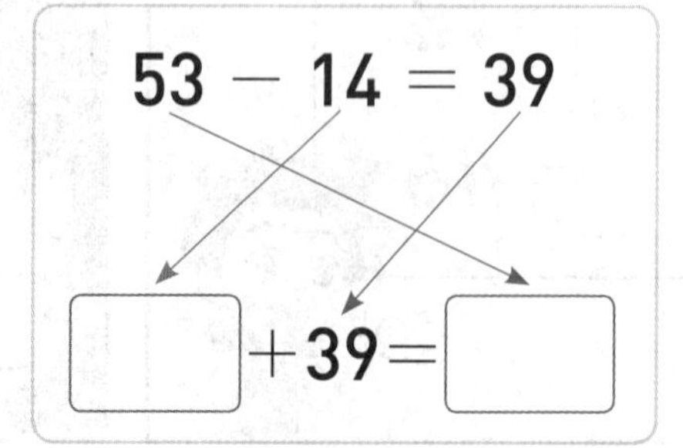

제한 시간 3분

기초 계산 연습

맞은 개수 / 11개

▶ 정답과 해설 15쪽

덧셈식을 뺄셈식으로 나타내어 보세요.

❹ $36+47=83$

→ $83-36=\square$

$83-\square=36$

❺ $48+25=73$

→ $73-\square=25$

$73-\square=48$

❻ $16+58=74$

→ $74-\square=58$

$\square-58=\square$

❼ $39+14=53$

→ $53-\square=14$

$\square-\square=39$

뺄셈식을 덧셈식으로 나타내어 보세요.

❽ $53-28=25$

→ $25+28=\square$

$28+\square=53$

❾ $71-34=37$

→ $37+\square=71$

$\square+37=71$

❿ $83-24=59$

→ $59+\square=83$

$\square+59=\square$

⓫ $71-46=25$

→ $25+\square=71$

$\square+\square=71$

1 일차 덧셈과 뺄셈의 관계를 식으로 나타내기

그림을 보고 □ 안에 알맞은 수를 써넣으세요.

1

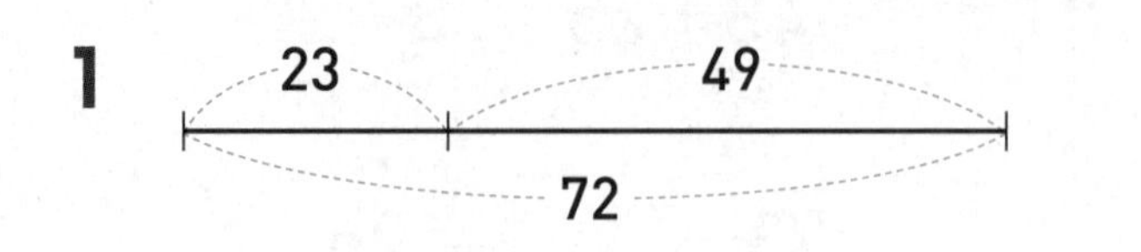

$23+49=72$

→ $72-\square=49$

$72-\square=\square$

2

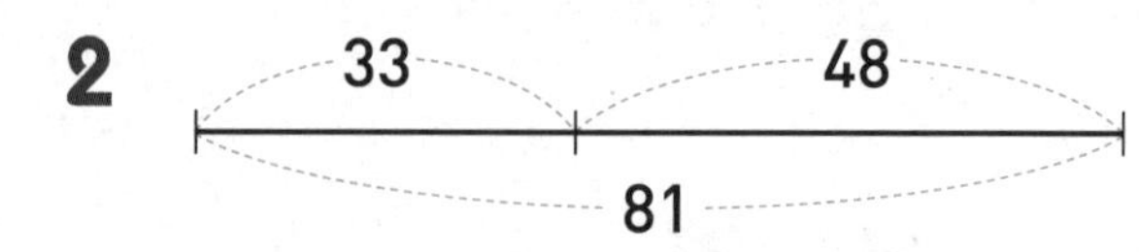

$33+48=81$

→ $81-\square=48$

$81-\square=\square$

3

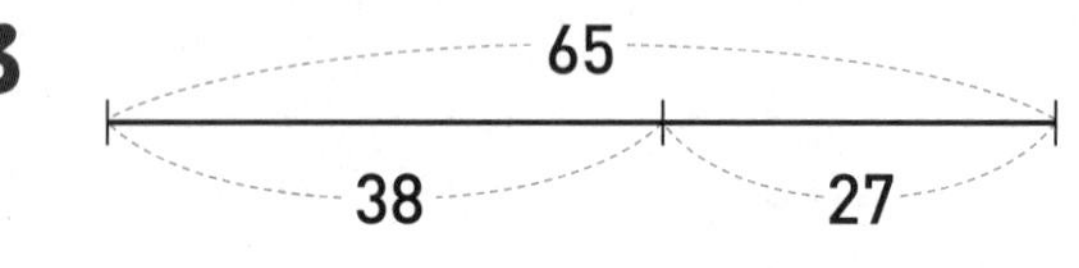

$65-27=38$

→ $38+\square=65$

$\square+38=\square$

4

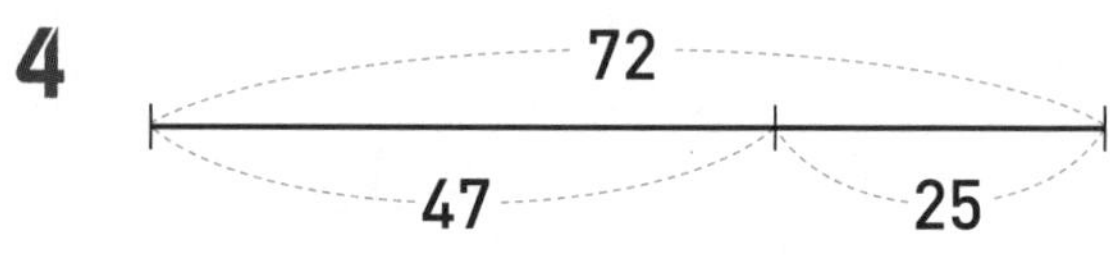

$72-25=47$

→ $47+\square=72$

$\square+47=\square$

덧셈식은 뺄셈식으로, 뺄셈식은 덧셈식으로 나타내어 보세요.

5 $29+15=44$

→ ____________________

____

6 $26+45=71$

→ ____________________

____

7 $82-47=35$

→ ____________________

____

8 $62-28=34$

→ ____________________

____

생활 속 계산

그림을 보고 사탕은 각각 몇 개인지 덧셈식과 뺄셈식으로 나타내어 보세요.

9

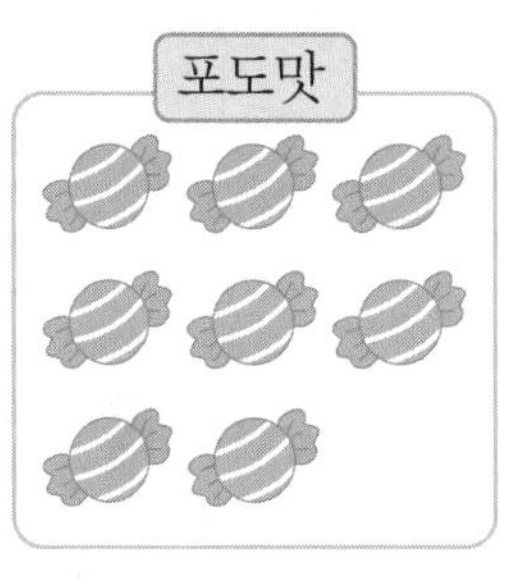

사과맛

전체 사탕 수: 8+9=☐

사과맛 사탕 수: 17−8=☐

포도맛 사탕 수: 17−☐=☐

10

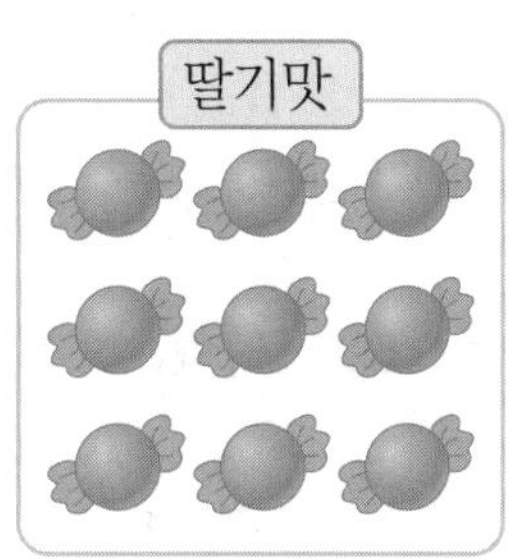

전체 사탕 수: 12+☐=☐

딸기맛 사탕 수: 21−☐=☐

레몬맛 사탕 수: ☐−☐=☐

11

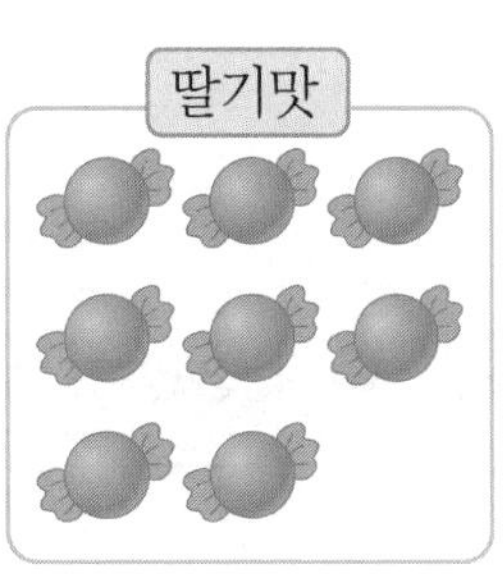

전체 사탕 수: 13+☐=☐

딸기맛 사탕 수: 21−☐=☐

포도맛 사탕 수: ☐−☐=☐

문장 읽고 계산식 세우기

12

27, 59, 86 을 한 번씩만 사용하여 덧셈식과 뺄셈식을 만들면?

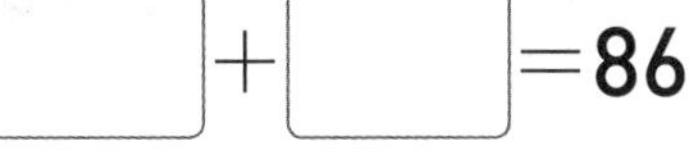

덧셈식 ☐+☐=86

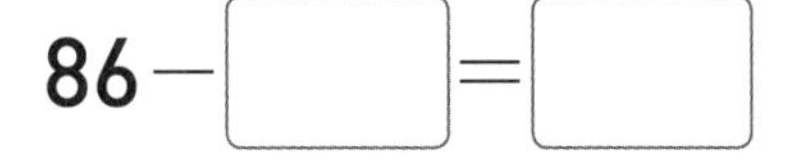

뺄셈식 86−☐=☐

13

18, 64, 46 을 한 번씩만 사용하여 덧셈식과 뺄셈식을 만들면?

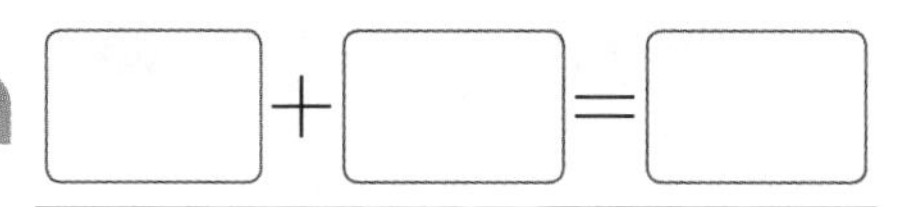

덧셈식 ☐+☐=☐

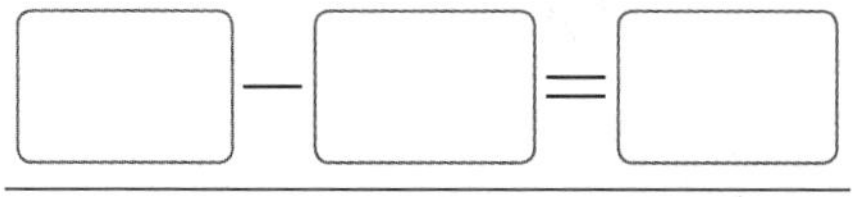

뺄셈식 ☐−☐=☐

2 일차 덧셈식에서 □의 값 구하기

이렇게 해결하자

$6+\square=11$

$11-6=\square$ → $\square=5$

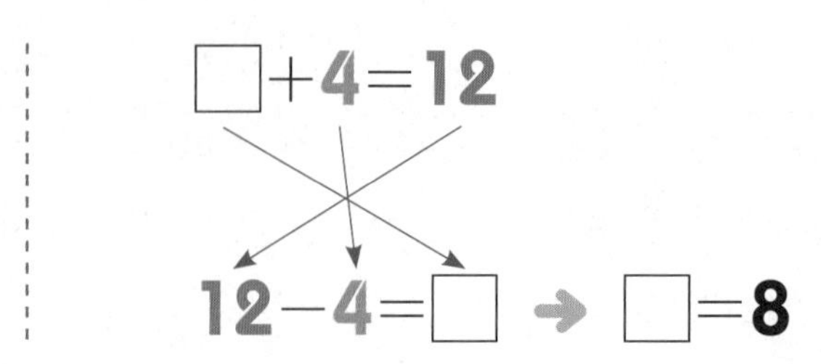

$\square+4=12$

$12-4=\square$ → $\square=8$

덧셈식을 뺄셈식으로 바꾸어 □의 값을 구해요.

덧셈식에서 ●의 값을 구하려고 합니다. □ 안에 알맞은 수를 써넣으세요.

❶ $19+●=52$

→ $52-19=●$,

$●=\square$

❷ $●+34=82$

→ $82-34=●$,

$●=\square$

❸ $47+●=71$

→ $71-\square=●$,

$●=\square$

❹ $●+66=93$

→ $\square-66=●$,

$●=\square$

❺ $53+●=82$

→ $82-\square=●$,

$●=\square$

❻ $●+47=86$

→ $\square-47=●$,

$●=\square$

기초 계산 연습

맞은 개수 / 16개

▶ 정답과 해설 15쪽

⑦ 18+●=61

→ □−18=●,

●=□

⑧ ●+44=81

→ □−44=●,

●=□

⑨ 45+●=73

→ □−45=●,

●=□

⑩ ●+57=93

→ □−57=●,

●=□

⑪ 58+●=96

→ □−□=●,

●=□

⑫ ●+36=82

→ □−□=●,

●=□

⑬ 49+●=93

→ □−□=●,

●=□

⑭ ●+43=81

→ □−□=●,

●=□

⑮ 24+●=62

→ □−□=●,

●=□

⑯ ●+17=62

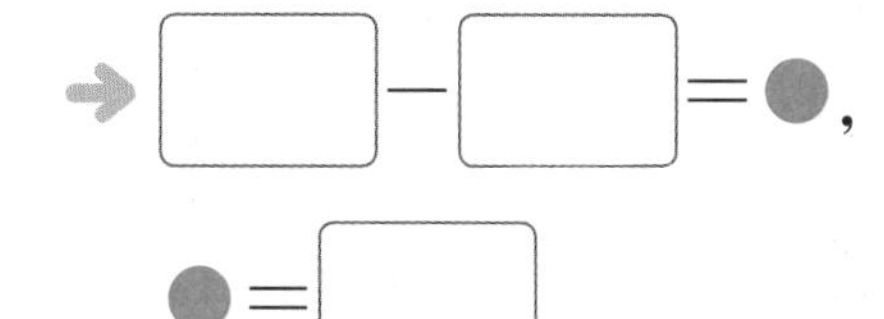

→ □−□=●,

●=□

덧셈식에서 □의 값 구하기

그림을 보고 □를 사용하여 알맞은 덧셈식을 쓰고 □는 얼마인지 구하세요.

1

□ 25

54

식 ______________

답 ______________

2

22 □

61

식 ______________

답 ______________

빈칸에 알맞은 수를 써넣으세요.

3

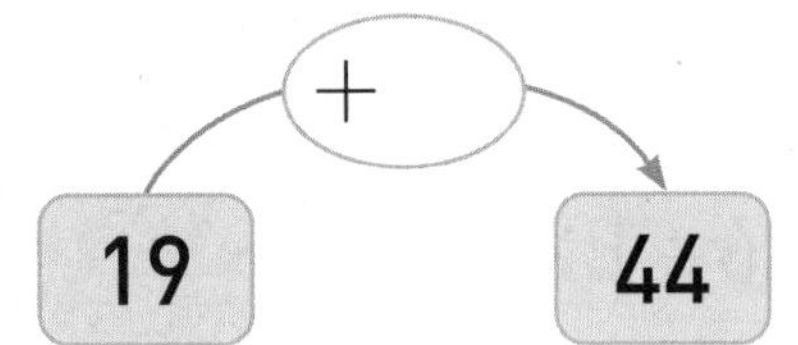

4

+15

□ 40

5

+

57 83

6

+37

□ 63

7

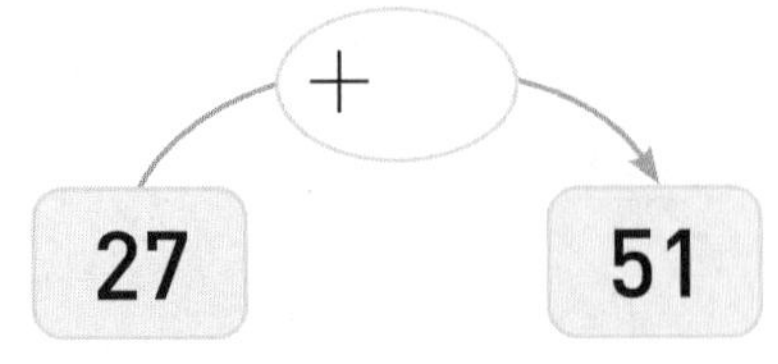

8

+34

□ 82

9

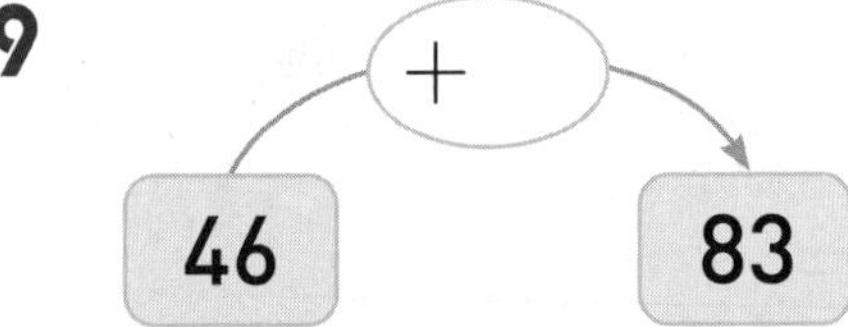

10

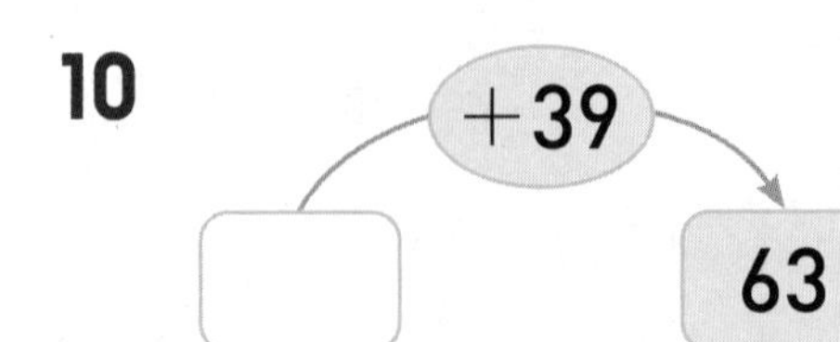

제한 시간 5분

플러스 계산 연습

맞은 개수 / 18개

▶ 정답과 해설 16쪽

생활 속 계산

11

바구니에 사과 15개가 있었는데 몇 개를 더 넣었더니 사과는 모두 43개가 되었어요.

식 ______________________

답 ______________

12

바구니에 사과 14개가 있었는데 몇 개를 더 넣었더니 사과는 모두 51개가 되었어요.

식 ______________________

답 ______________

13

감이 들어 있는 상자에 27개를 더 넣었더니 감은 모두 42개가 되었어요.

식 ______________________

답 ______________

14

감이 들어 있는 상자에 13개를 더 넣었더니 감은 모두 32개가 되었어요.

식 ______________________

답 ______________

문장 읽고 계산식 세우기

어떤 수를 ■로 하여 덧셈식을 만들고 어떤 수를 구하세요.

15

18과 어떤 수의 합은 24입니다.

식 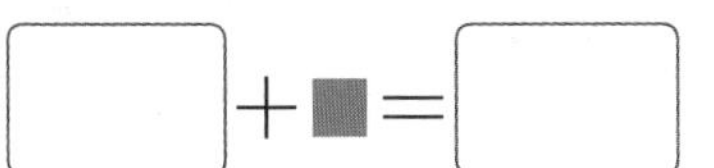

답 ______________

16

어떤 수와 29의 합은 45입니다.

식 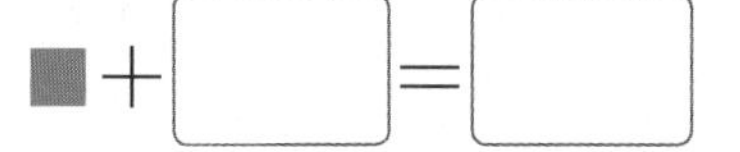

답 ______________

17

26과 어떤 수의 합은 75입니다.

식 ______________________

답 ______________

18

어떤 수와 36의 합은 61입니다.

식 ______________________

답 ______________

3 일차

뺄셈식에서 □의 값 구하기

이렇게 해결하자

$21-\square=12$

$21-12=\square$ → $\square=9$

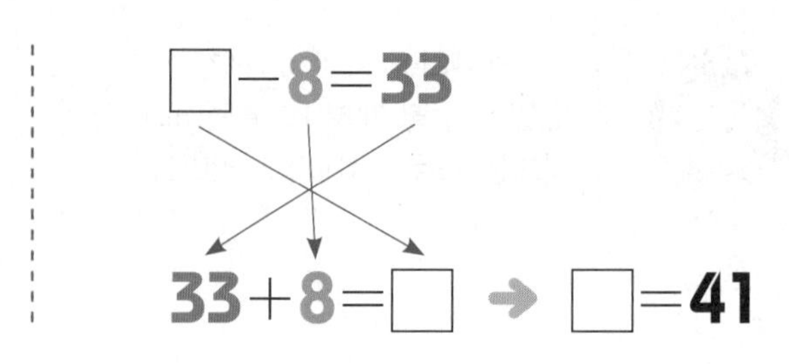

뺄셈식을 뺄셈식 또는 덧셈식으로 바꾸어 □의 값을 구해요.

뺄셈식에서 ●의 값을 구하려고 합니다. □ 안에 알맞은 수를 써넣으세요.

❶ $32-●=17$

→ $32-17=●$, ●=□

❷ $●-27=19$

→ $19+27=●$, ●=□

❸ $95-●=66$

→ □$-66=●$, ●=□

❹ $●-48=33$

→ $33+$□$=●$, ●=□

❺ $72-●=45$

→ □$-45=●$, ●=□

❻ $●-16=55$

→ $55+$□$=●$, ●=□

기초 계산 연습

맞은 개수 / 16개

▶ 정답과 해설 16쪽

⑦ $54-●=16$

→ □ − □ = ●, ● = □

⑧ $●-27=49$

→ $49+$□ = ●, ● = □

⑨ $85-●=69$

→ □ − □ = ●, ● = □

⑩ $●-45=38$

→ $38+$□ = ●, ● = □

⑪ $73-●=17$

→ □ − □ = ●, ● = □

⑫ $●-67=15$

→ □ + □ = ●, ● = □

⑬ $80-●=24$

→ □ − □ = ●, ● = □

⑭ $●-48=13$

→ □ + □ = ●, ● = □

⑮ $43-●=15$

→ □ − □ = ●, ● = □

⑯ $●-53=29$

→ □ + □ = ●, ● = □

3 일차

뺄셈식에서 □의 값 구하기

그림을 보고 □를 사용하여 알맞은 뺄셈식을 쓰고 □는 얼마인지 구하세요.

1

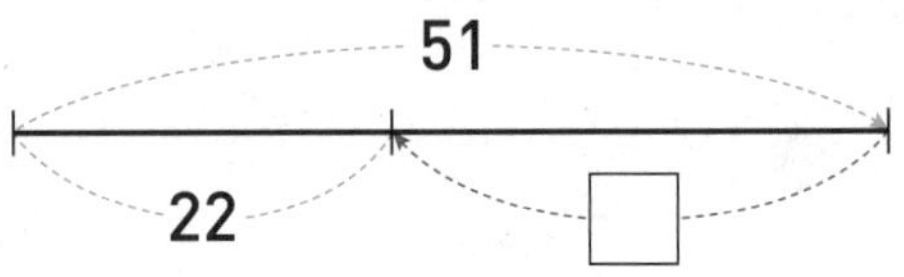

51

22 □

식

답

2

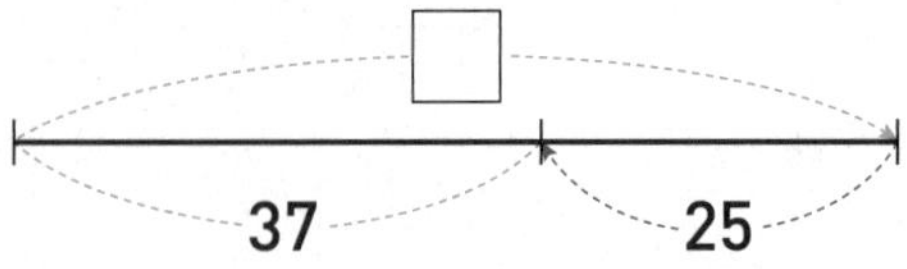

□

37 25

식

답

□ 안에 알맞은 수를 써넣으세요.

3 22 → −□ → 13

4 □ → −29 → 26

5 45 → −□ → 18

6 □ → −55 → 37

7 52 → −□ → 13

8 □ → −46 → 26

9 81 → −□ → 29

10 □ → −37 → 45

제한 시간 5분

플러스 계산 연습

맞은 개수 / 17개

▶ 정답과 해설 16쪽

생활 속 계산

친구에게 준 학용품 수를 □라 하고 □를 사용하여 뺄셈식을 쓰고 □의 값을 구하세요.

11 공책 24권 중 친구에게 몇 권을 주었더니 18권이 남았어요.

식

답

12 연필 15자루 중 친구에게 몇 자루를 주었더니 6자루가 남았어요.

식

답

13 크레파스 36개 중 친구에게 몇 개를 주었더니 19개가 남았어요.

식

답

문장 읽고 계산식 세우기

어떤 수를 ■로 하여 뺄셈식을 만들고 어떤 수를 구하세요.

14 86에서 어떤 수를 빼면 59가 됩니다.

식 □ − ■ = □

답

15 어떤 수에서 46을 빼면 15가 됩니다.

식 ■ − □ = □

답

16 84에서 어떤 수를 빼면 46이 됩니다.

식

답

17 어떤 수에서 37을 빼면 24가 됩니다.

식

답

4 일차

세 수의 계산(1)

이렇게 해결하자

- ■+▲+●

17+28+9=54
45
54

17+28+9=54
37
54

세 수의 덧셈은 계산 순서가 달라도 결과는 같아요.

□ 안에 알맞은 수를 써넣으세요.

❶ 16+15+54=□

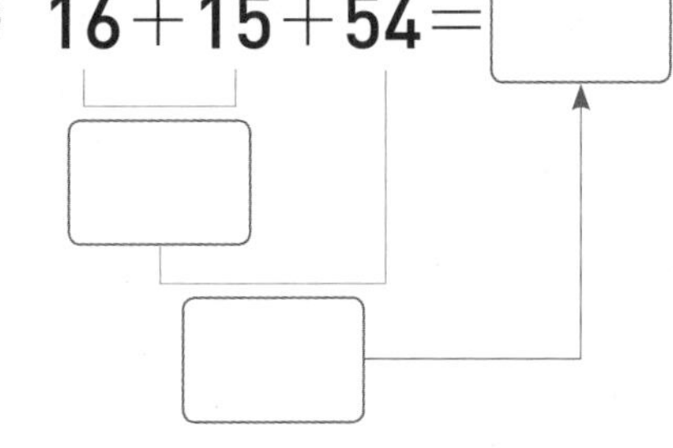

❷ 19+6+27=□

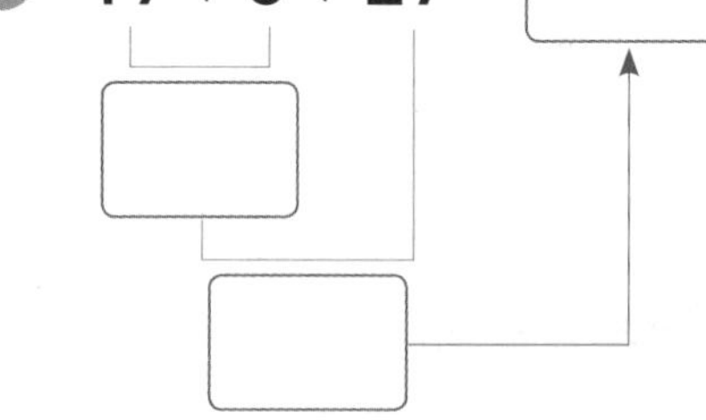

❸ 27+16+48=□

❹ 37+9+15=□

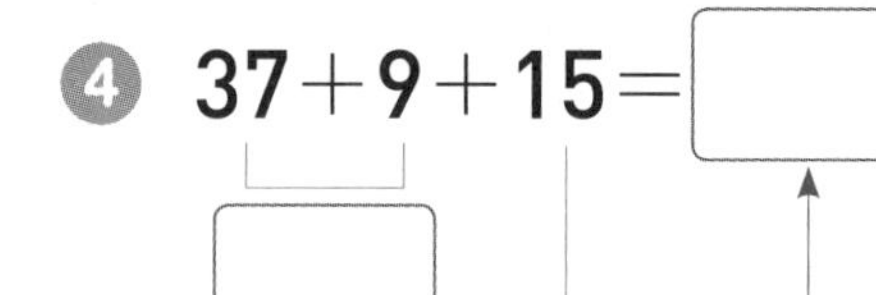

❺ 45+27+8=□

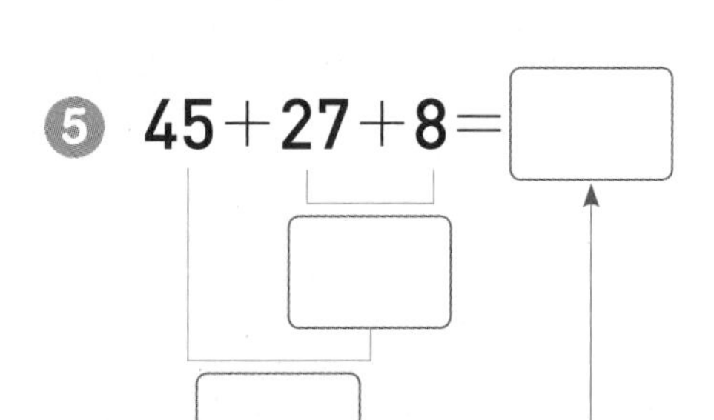

❻ 18+32+28=□

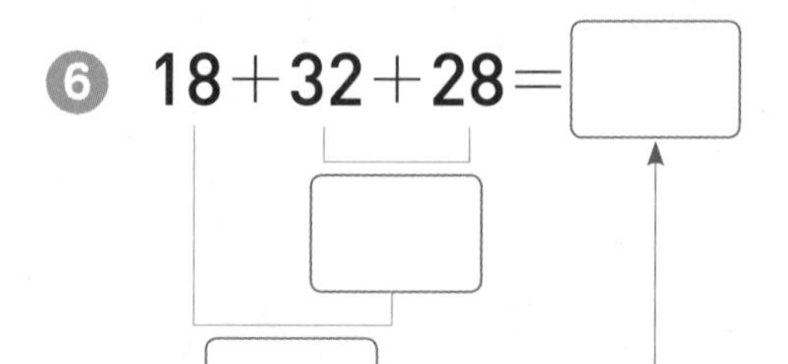

제한 시간 4분

기초 계산 연습

맞은 개수 / 18개

▶ 정답과 해설 17쪽

세 수의 덧셈을 하세요.

⑦ $14+15+54=$ □

⑧ $18+6+39=$ □

⑨ $27+15+46=$ □

⑩ $36+9+15=$ □

⑪ $26+34+9=$ □

⑫ $14+37+8=$ □

⑬ $38+14+17=$ □

⑭ $21+46+13=$ □

⑮ $18+31+5=$ □

⑯ $28+34+17=$ □

⑰ $54+8+23=$ □

⑱ $24+46+7=$ □

4 일차

세 수의 계산(1)

□ 안에 알맞은 수를 써넣으세요.

1 27+15+43=□

```
  2 7          □
+ 1 5        + 4 3
-----        -----
  □            □
```

2 16+24+35=□

```
  1 6          □
+ 2 4        + 3 5
-----        -----
  □            □
```

3 38+26+13=□

```
  3 8          □
+ 2 6        + 1 3
-----        -----
  □            □
```

4 47+18+26=□

```
  4 7          □
+ 1 8        + 2 6
-----        -----
  □            □
```

빈칸에 알맞은 수를 써넣으세요.

5

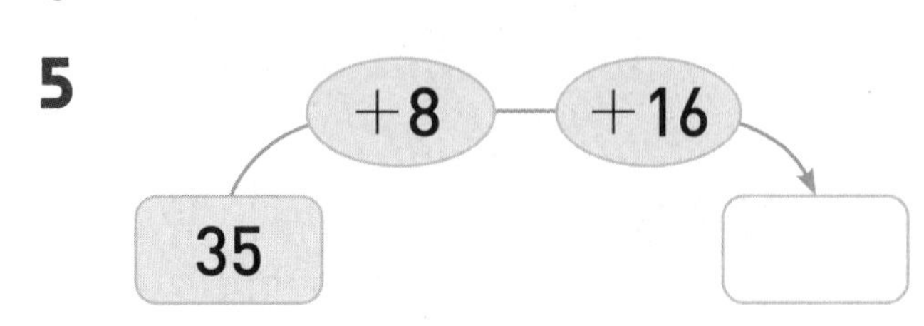

6

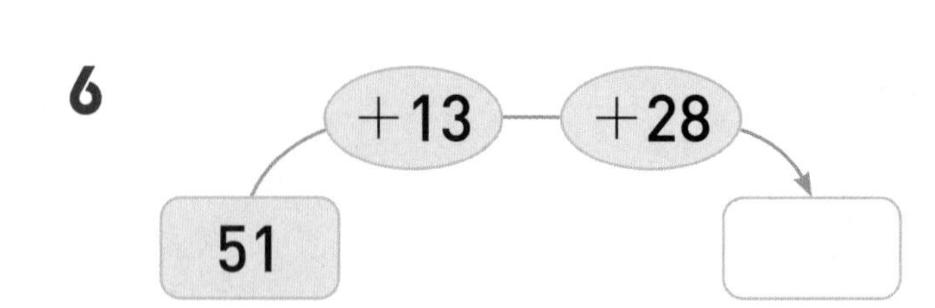

7

46 → +15 → +12 → □

8

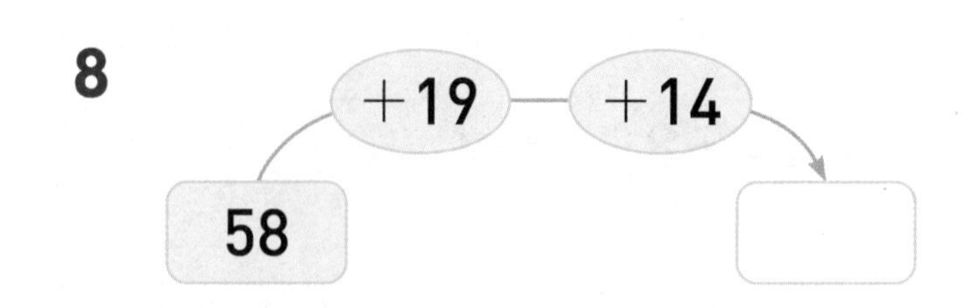

생활 속 계산

과일 가게에 있는 과일은 모두 몇 상자인지 구하세요.

9

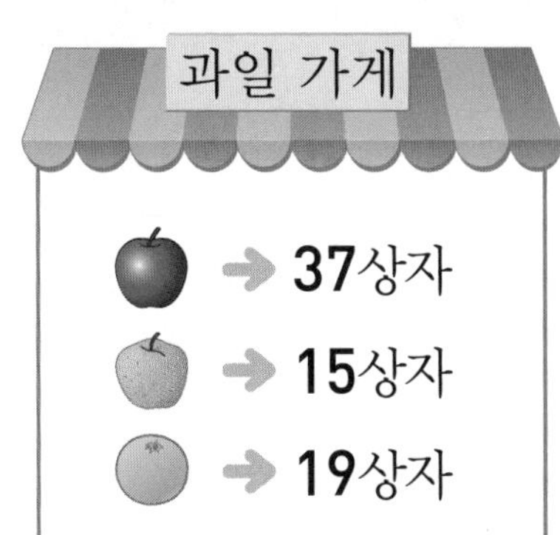

$+ \ + \ =$ □ (상자)

10

$+ \ + \ =$ □ (상자)

11

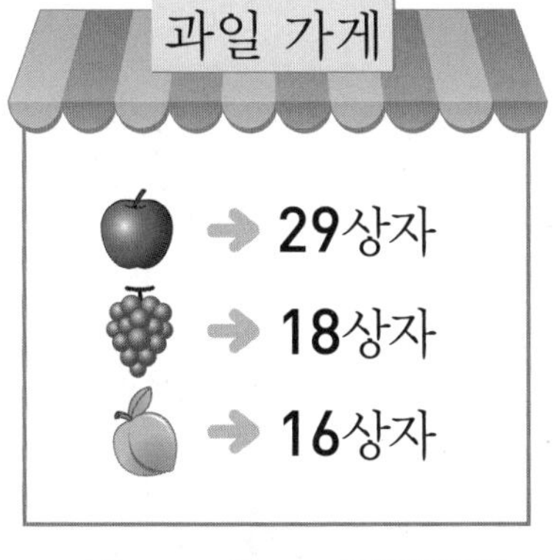

$+ \ + \ =$ □ (상자)

12

$+ \ + \ =$ □ (상자)

문장 읽고 계산식 세우기

13 감자 34개, 양파 17개, 당근 9개가 있을 때 채소는 모두 몇 개?

식 $34+17+\square=\square$ (개)

14 가지 26개, 호박 8개, 오이 39개가 있을 때 채소는 모두 몇 개?

식 $26+\square+\square=\square$ (개)

5 일차

세 수의 계산(2)

이렇게 해결하자

• ■ − ▲ − ●

$47-19-14=14$

28

14

주의

세 수의 뺄셈은 계산 순서가 바뀌면 계산 결과가 달라질 수 있으므로 앞에서부터 차례로 계산합니다.

$47-19-14=42(\times)$

5

42

□ 안에 알맞은 수를 써넣으세요.

❶ $33-8-19=\square$

❷ $46-9-18=\square$

❸ 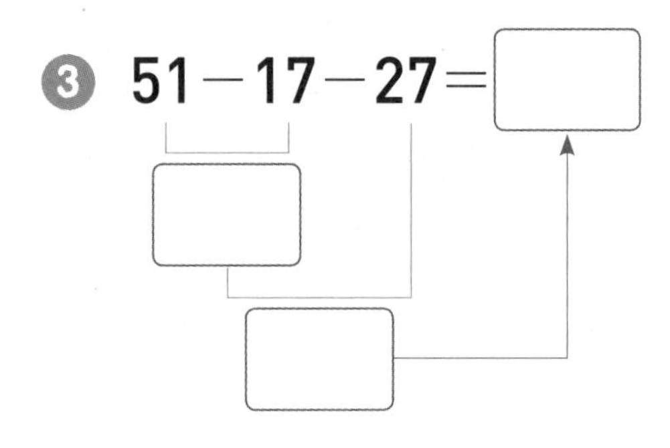

❹ 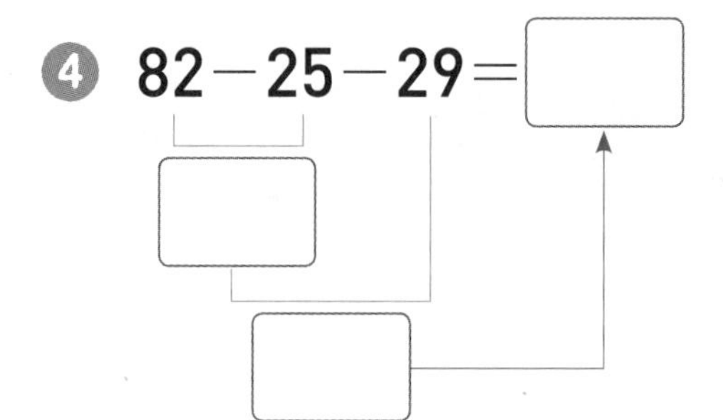

❺ 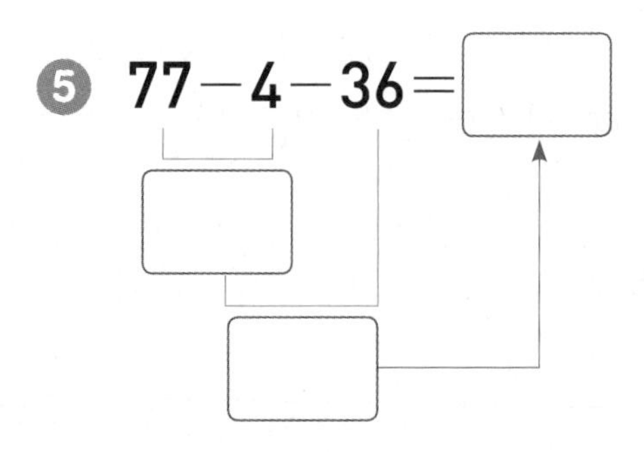

❻ 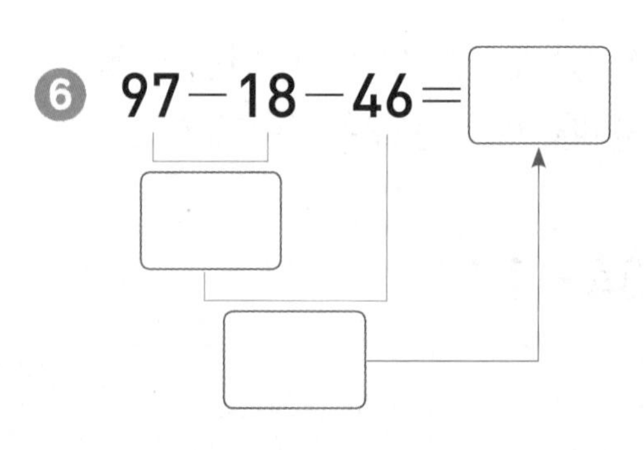

기초 계산 연습

맞은 개수 / 18개

▶ 정답과 해설 18쪽

세 수의 뺄셈을 하세요.

⑦ $63-16-27=\square$

⑧ $54-27-9=\square$

⑨ $65-17-19=\square$

⑩ $83-19-46=\square$

⑪ $47-9-18=\square$

⑫ $61-18-25=\square$

⑬ $51-16-24=\square$

⑭ $52-27-9=\square$

⑮ $82-23-17=\square$

⑯ $45-6-13=\square$

⑰ $67-5-36=\square$

⑱ $91-23-15=\square$

5 일차

세 수의 계산(2)

□ 안에 알맞은 수를 써넣으세요.

1 $72-25-32=$ □

$$\begin{array}{r} 72 \\ -\ 25 \\ \hline \square \end{array} \qquad \begin{array}{r} \square \\ -\ 32 \\ \hline \square \end{array}$$

2 $63-18-26=$ □

$$\begin{array}{r} 63 \\ -\ 18 \\ \hline \square \end{array} \qquad \begin{array}{r} \square \\ -\ 26 \\ \hline \square \end{array}$$

3 $64-19-27=$ □

$$\begin{array}{r} 64 \\ -\ 19 \\ \hline \square \end{array} \qquad \begin{array}{r} \square \\ -\ 27 \\ \hline \square \end{array}$$

4 $55-28-18=$ □

$$\begin{array}{r} 55 \\ -\ 28 \\ \hline \square \end{array} \qquad \begin{array}{r} \square \\ -\ 18 \\ \hline \square \end{array}$$

빈칸에 알맞은 수를 써넣으세요.

5

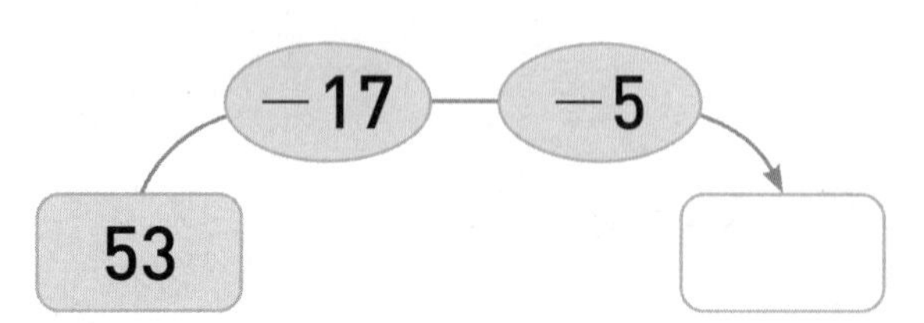

6

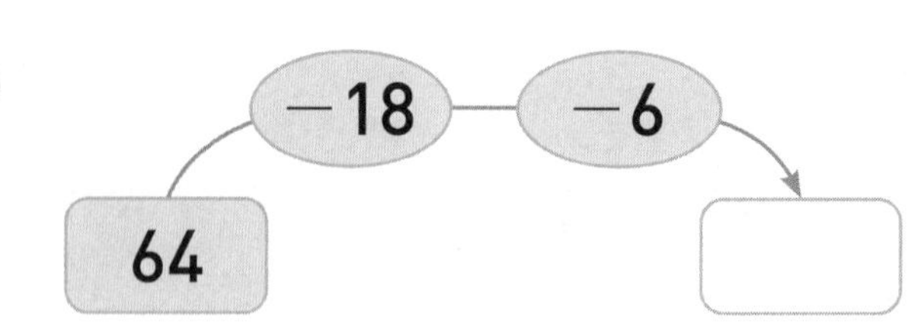

7

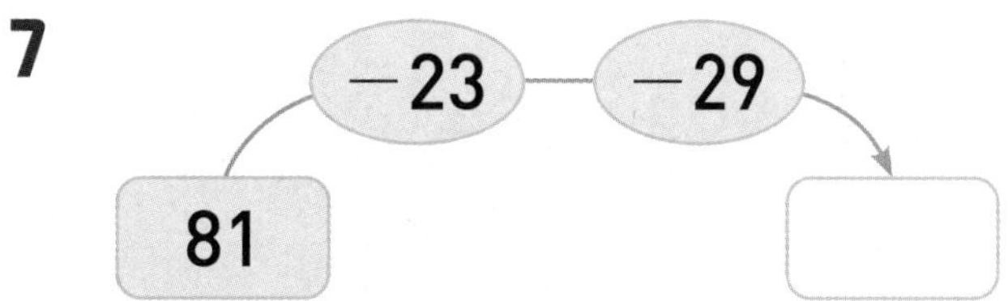

8

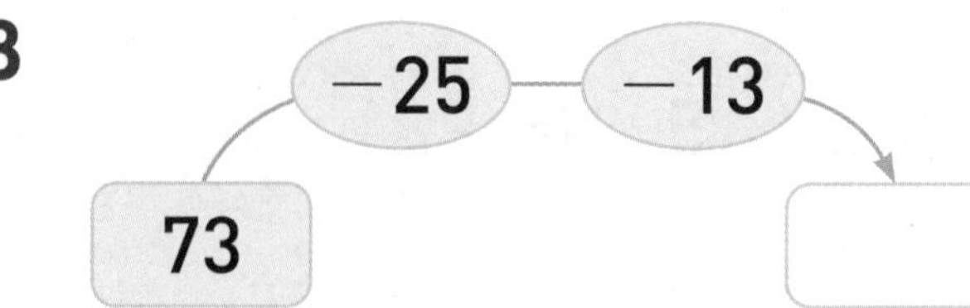

플러스 계산 연습

맞은 개수 / 16개

▶ 정답과 해설 18쪽

생활 속 계산

세 수의 차를 구하여 □ 안에 써넣으세요.

9

10

11

12

문장 읽고 계산식 세우기

13

사탕 53개 중에서 할머니가 14개, 할아버지가 9개를 먹었다면 남은 사탕은 몇 개?

식 53−14−□=□(개)

14

사탕 45개 중에서 고모가 16개, 삼촌이 13개를 먹었다면 남은 사탕은 몇 개?

식 45−16−□=□(개)

15

색종이 60장 중 12장으로 종이학을, 26장으로 종이비행기를 만들면 남는 색종이는 몇 장?

식 □−12−26=□(장)

16

색종이 56장 중 27장으로 종이배를, 9장으로 바람개비를 만들면 남는 색종이는 몇 장?

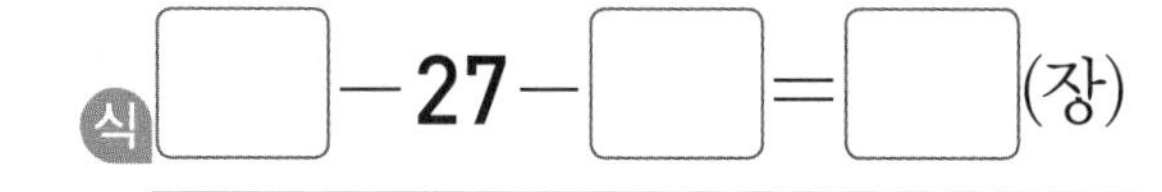

6 일차 세 수의 계산(3)

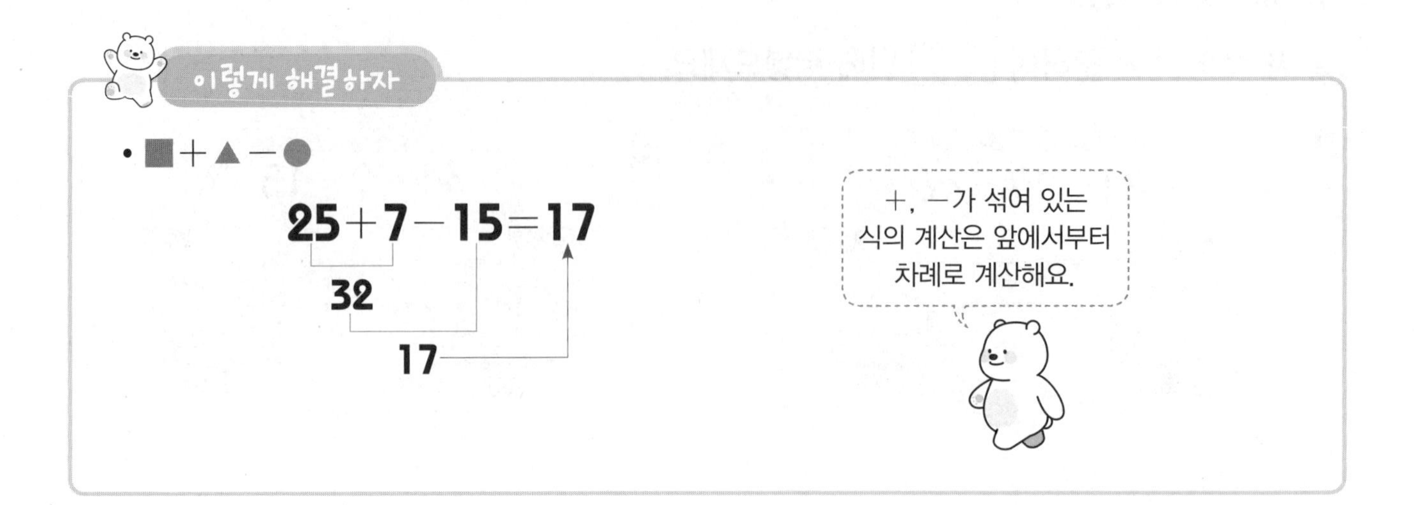

□ 안에 알맞은 수를 써넣으세요.

❶ $23+25-9=\square$

❷ $48+14-23=\square$

❸ $39+16-38=\square$

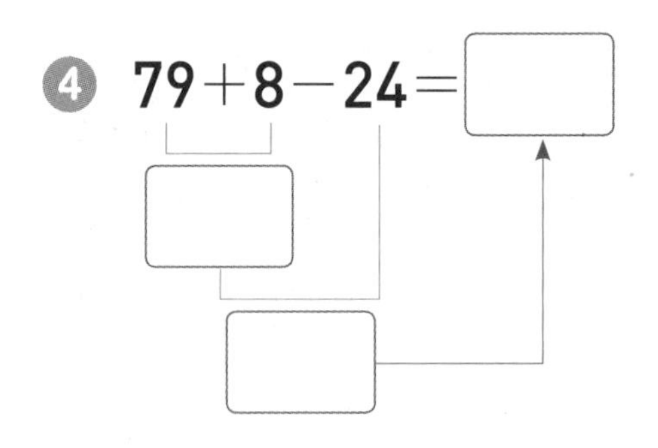

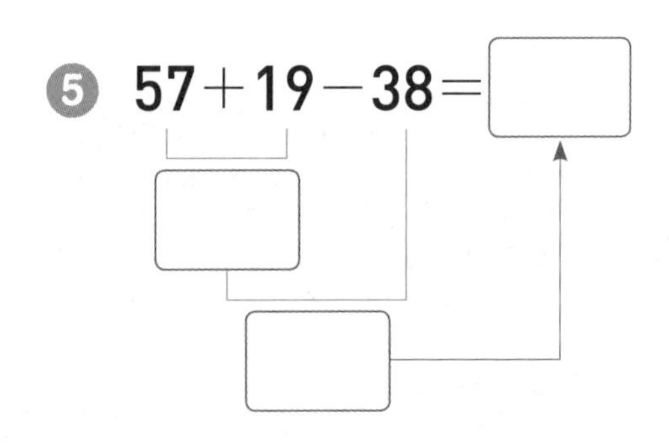

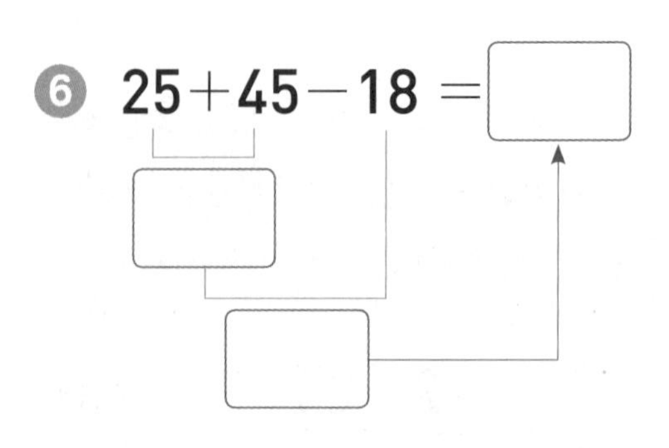

제한 시간 4분

기초 계산 연습

맞은 개수 / 18개

▶ 정답과 해설 18쪽

계산해 보세요.

⑦ $32+19-21=\square$

⑧ $63+14-38=\square$

⑨ $57+14-45=\square$

⑩ $32+21-24=\square$

⑪ $73+15-49=\square$

⑫ $48+14-23=\square$

⑬ $48+23-24=\square$

⑭ $73+8-29=\square$

⑮ $37+15-9=\square$

⑯ $25+46-18=\square$

⑰ $39+26-18=\square$

⑱ $55+16-39=\square$

6 일차

세 수의 계산(3)

□ 안에 알맞은 수를 써넣으세요.

1 $76+17-51=\square$

$$\begin{array}{r} 7\ 6 \\ +\ 1\ 7 \\ \hline \square \end{array} \quad \begin{array}{r} \square \\ -\ 5\ 1 \\ \hline \square \end{array}$$

2 $77+14-19=\square$

$$\begin{array}{r} 7\ 7 \\ +\ 1\ 4 \\ \hline \square \end{array} \quad \begin{array}{r} \square \\ -\ 1\ 9 \\ \hline \square \end{array}$$

빈칸에 알맞은 수를 써넣으세요.

3

36	+17	−13	

4

45	+18	−34	

5

54	+18	−29	

6

48	+24	−23	

7

37	+19	−15	

8

69	+24	−19	

9

37	+15	−16	

10

36	+57	−33	

제한 시간 4분

플러스 계산 연습

맞은 개수 / 14개

▶ 정답과 해설 19쪽

생활 속 계산

보기 와 같이 마지막 통에 남아 있는 공은 몇 개인지 구하세요.

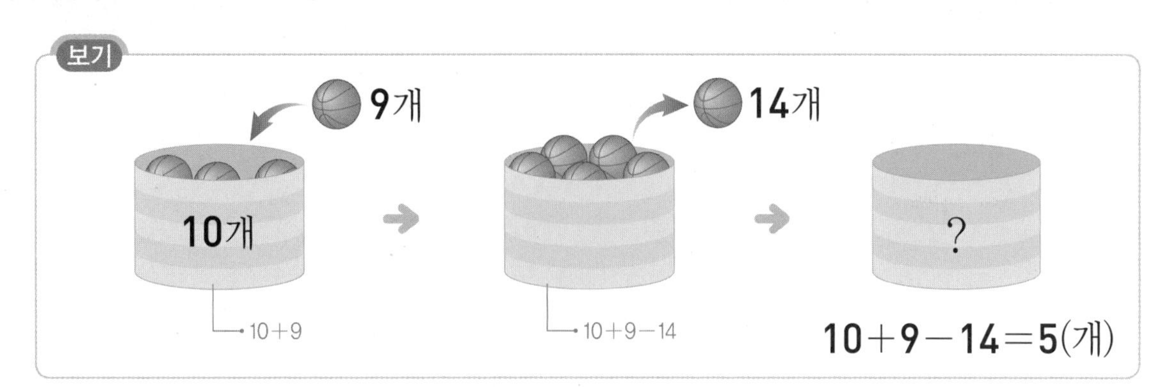

11

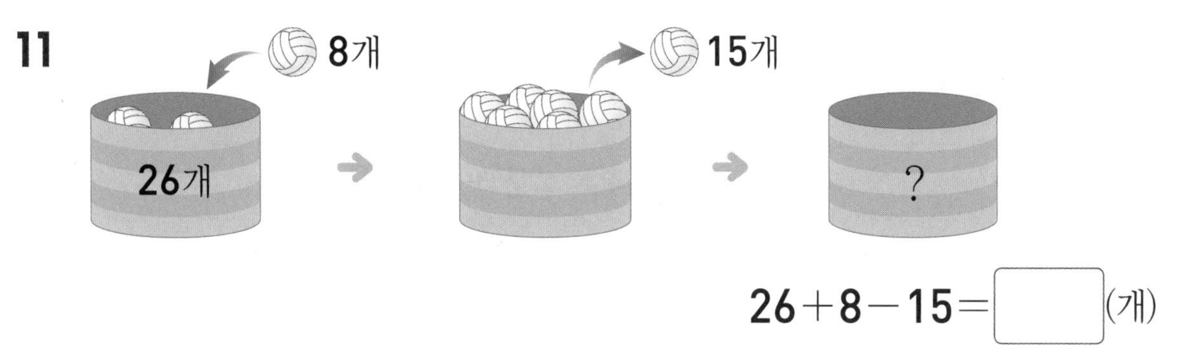

$26+8-15=$ ☐ (개)

12

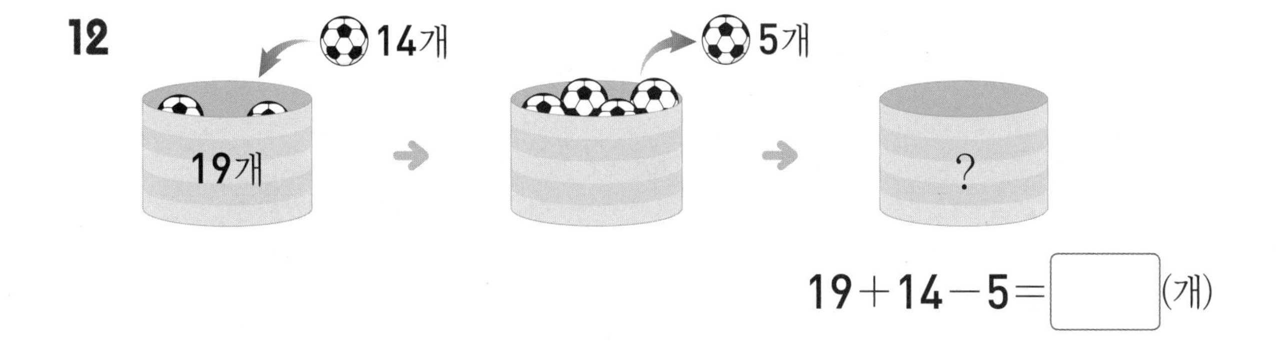

$19+14-5=$ ☐ (개)

문장 읽고 계산식 세우기

13 25명이 타고 있는 버스에 16명이 더 타고 7명이 내렸다면 지금 버스에 타고 있는 사람은 몇 명?

식 $25+16-$ ☐ $=$ ☐ (명)

14 38명이 타고 있는 버스에 3명이 더 타고 25명이 내렸다면 지금 버스에 타고 있는 사람은 몇 명?

식 $38+$ ☐ $-25=$ ☐ (명)

세 수의 계산 (4)

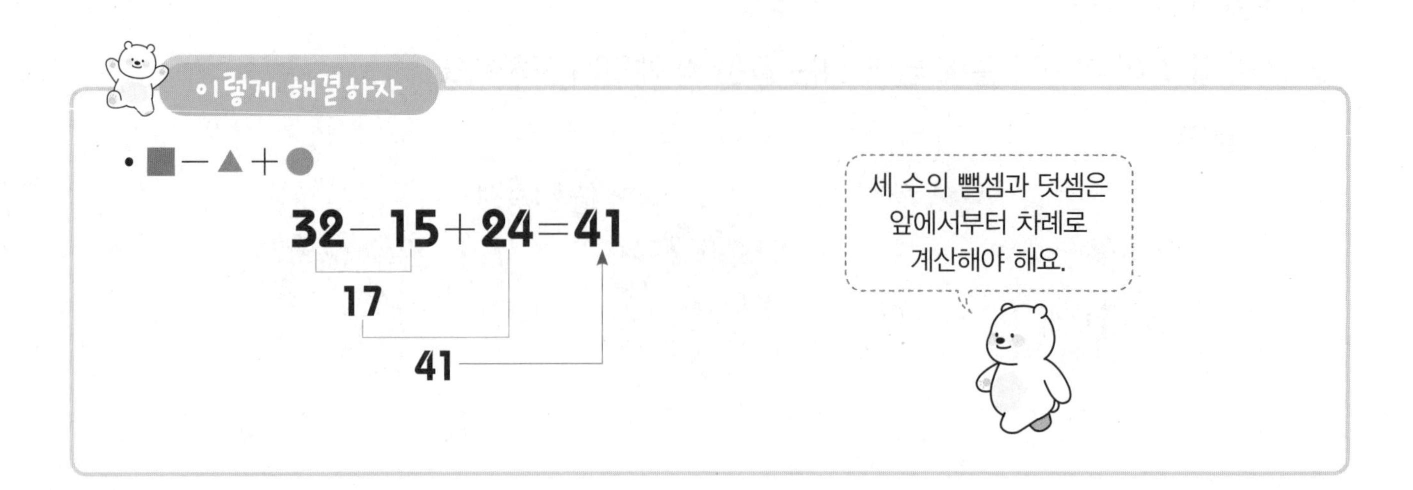

□ 안에 알맞은 수를 써넣으세요.

❶ $45-7+13=\square$

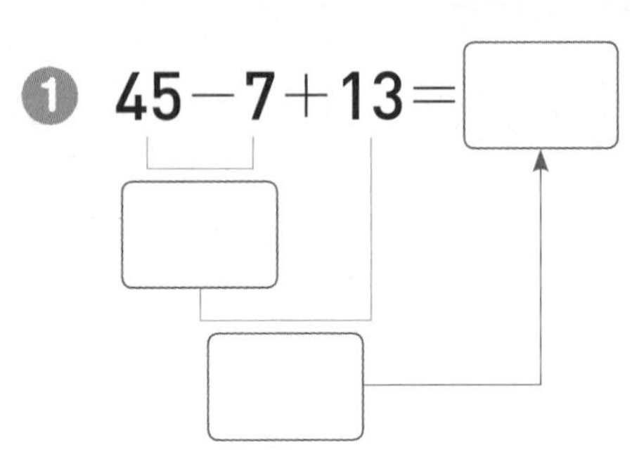

❷ $42-14+9=\square$

❸ $54-16+25=\square$

❹ $71-13+38=\square$

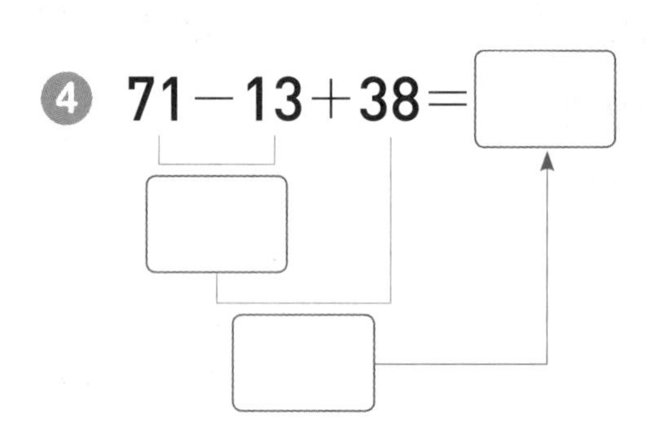

❺ $34-8+28=\square$

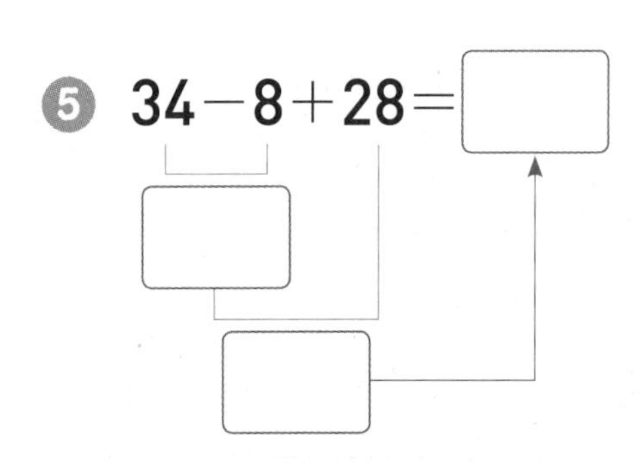

❻ $93-28+17=\square$

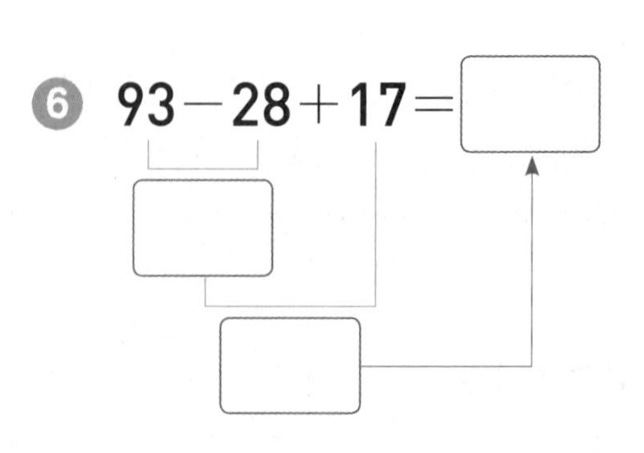

제한 시간 4분

기초 계산 연습

맞은 개수 / 18개

▶ 정답과 해설 19쪽

계산해 보세요.

⑦ $23-7+15=\square$

⑧ $45-8+26=\square$

⑨ $83-24+9=\square$

⑩ $52-17+36=\square$

⑪ $74-25+28=\square$

⑫ $65-8+17=\square$

⑬ $72-28+13=\square$

⑭ $70-55+36=\square$

⑮ $81-53+16=\square$

⑯ $91-38+17=\square$

⑰ $74-69+33=\square$

⑱ $92-45+13=\square$

세 수의 계산(4)

□ 안에 알맞은 수를 써넣으세요.

1 53−17+21=□

```
  5 3          □
− 1 7      + 2 1
─────      ─────
  □           □
```

2 67−32+18=□

```
  6 7          □
− 3 2      + 1 8
─────      ─────
  □           □
```

빈칸에 알맞은 수를 써넣으세요.

3

43	−19	+21	

4

65	−17	+16	

5

31	−6	+15	

6

70	−24	+19	

7

56	−18	+29	

8

47	−11	+25	

9

61	−22	+46	

10

85	−57	+33	

제한 시간 4분

플러스 계산 연습

맞은 개수 / 14개

▶ 정답과 해설 20쪽

생활 속 계산

보기 와 같이 마지막 통에 남아 있는 공은 몇 개인지 구하세요.

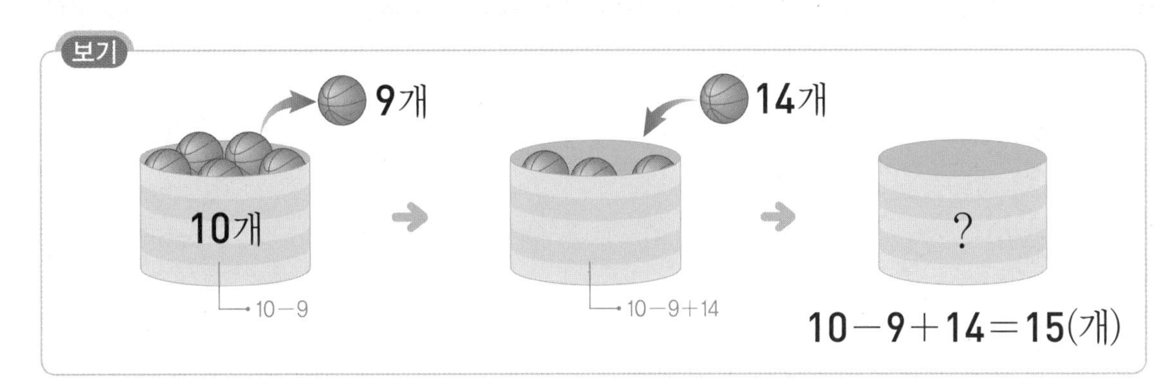

$10-9+14=15$(개)

11

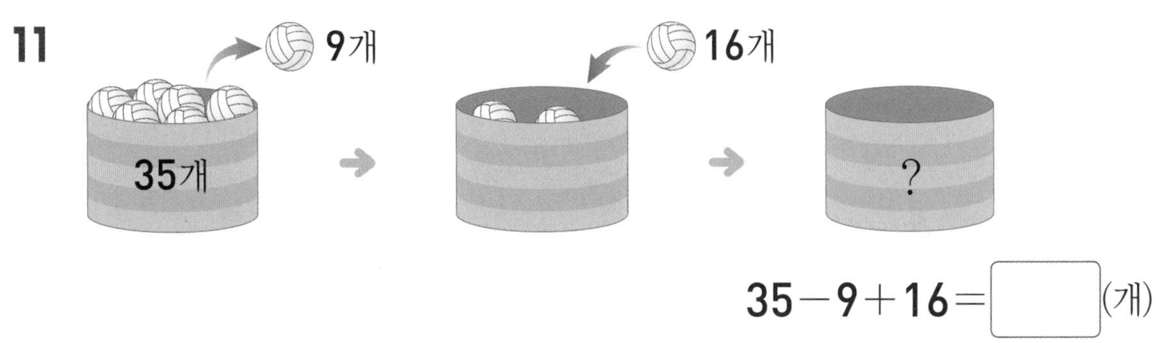

$35-9+16=$ ☐ (개)

12

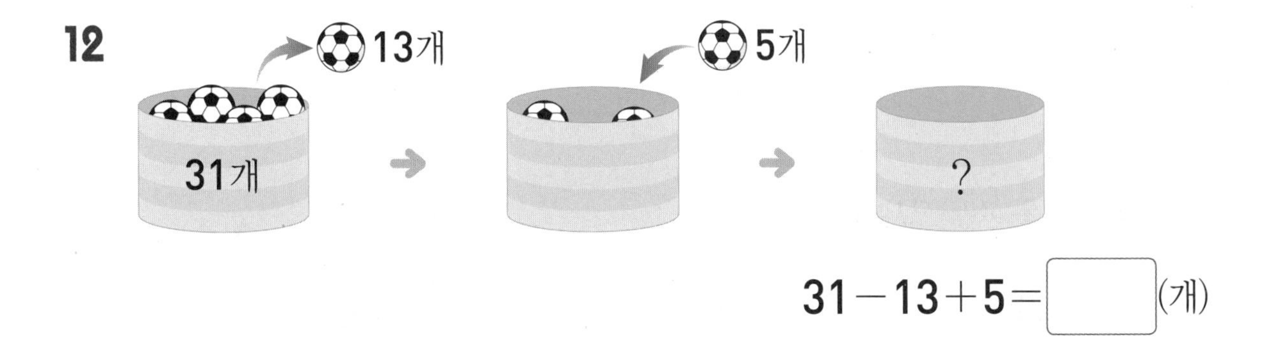

$31-13+5=$ ☐ (개)

문장 읽고 계산식 세우기

13 버스에 타고 있던 23명 중 10명이 내리고 9명이 더 탔다면 지금 버스에 타고 있는 사람은 몇 명?

식 $23-10+$ ☐ $=$ ☐ (명)

14 버스에 타고 있던 14명 중 8명이 내리고 25명이 더 탔다면 지금 버스에 타고 있는 사람은 몇 명?

식 $14-$ ☐ $+$ ☐ $=$ ☐ (명)

평가 SPEED 연산력 TEST

덧셈식은 뺄셈식으로, 뺄셈식은 덧셈식으로 나타내어 보세요.

❶ 39+6=45

→ 45−□=6
45−□=□

❷ 57+34=91

→ 91−□=□
□−34=□

❸ 51−5=46

→ 46+□=51
□+46=□

❹ 63−15=48

→ □+15=□
□+□=63

□ 안에 알맞은 수를 써넣으세요.

❺ □+23=50

❻ 36+□=81

❼ 53−□=26

❽ □−16=68

❾ □−29=53

❿ 94−□=57

▶정답과 해설 20쪽

계산해 보세요.

⑪ $17+58+15$

⑫ $27+24+19$

⑬ $37+5+26$

⑭ $31+42-16$

⑮ $13+49-7$

⑯ $46+25-19$

⑰ $80-24+14$

⑱ $81-43+15$

⑲ $71-46-15$

⑳ $64-28-27$

제한 시간 안에 정확하게
모두 풀었다면 여러분은 진정한 **계산왕!**

문장제 문제 도전하기

1 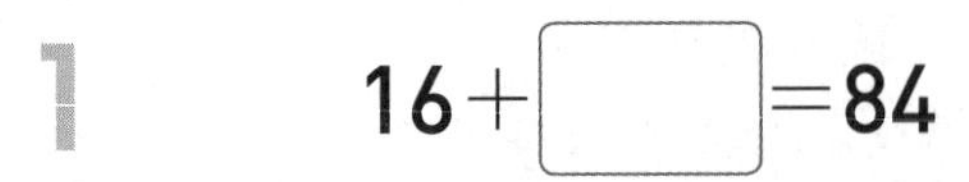

$16+\square=84$

→ 바구니에 귤이 **16**개 있습니다. 서우가 몇 개를 더 넣었더니 귤이 **84**개가 되었습니다. 서우가 넣은 귤은 몇 개인지 □를 사용하여 식을 만들고 답을 구하세요.

식 ______________________

답 ______________ 개

2 $96-\square=49$

→ 바구니에 밤이 **96**개 있습니다. 해수가 몇 개를 꺼냈더니 **49**개가 남았습니다. 해수가 꺼낸 밤은 몇 개인지 □를 사용하여 식을 만들고 답을 구하세요.

식 ______________________

답 ______________ 개

3 $56+17-29=\square$

→ 바구니에 도토리가 **56**개 있습니다. 주하가 도토리 **17**개를 바구니에 더 담고 리하가 **29**개를 꺼냈습니다. 바구니에 있는 도토리는 몇 개인지 구하세요.

식 ______________________

답 ______________ 개

▶정답과 해설 20쪽

문장을 읽고 알맞은 식을 세워 답을 구해 보자!

4 주하가 동화책을 어제까지 ●쪽을 읽었고 오늘은 **38**쪽을 읽었습니다.
주하가 오늘까지 읽은 동화책이 **97**쪽이라면
어제까지 읽은 동화책은 몇 쪽인지 구하세요.

● + ☐ = ☐

답 ________ 쪽

5 운동장에 ●명의 학생들이 있었는데
잠시 후 **17**명이 교실로 들어가서 **35**명이 남았습니다.
처음 운동장에 있던 학생은 몇 명인지 구하세요.

● − ☐ = ☐

답 ________ 명

6 민재는 구슬을 **75**개 가지고 있었습니다.
소윤이에게 **49**개를 주고 은우에게 **16**개를 받았습니다.
민재가 가진 구슬은 몇 개인지 구하세요.

민재 − 소윤 + 은우 = ☐ − ☐ + ☐
= ☐(개)

특강 창의·융합·코딩·도전하기

사자성어 퀴즈!

융합 1 식을 계산하여 계산 결과에 맞는 글자를 빈칸에 알맞게 써넣으세요.

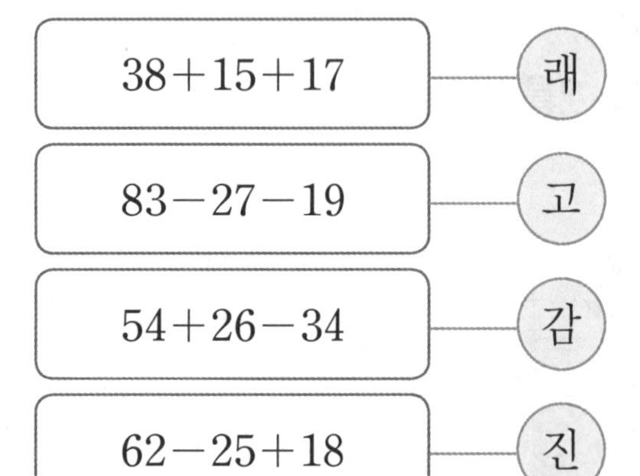

37	55	46	70

융합 2 채윤이네 밭에서 기르는 채소입니다.
오늘 딴 것의 수가 다음과 같을 때 오늘 딴 것은 모두 몇 개인지 구하세요.

답 ______________ 개

창의 3 사다리타기 방법으로 계산하여 도착한 곳에 계산 결과를 써넣으세요.

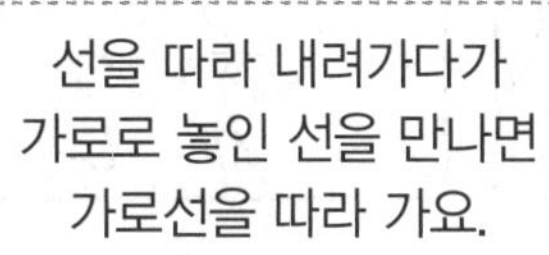

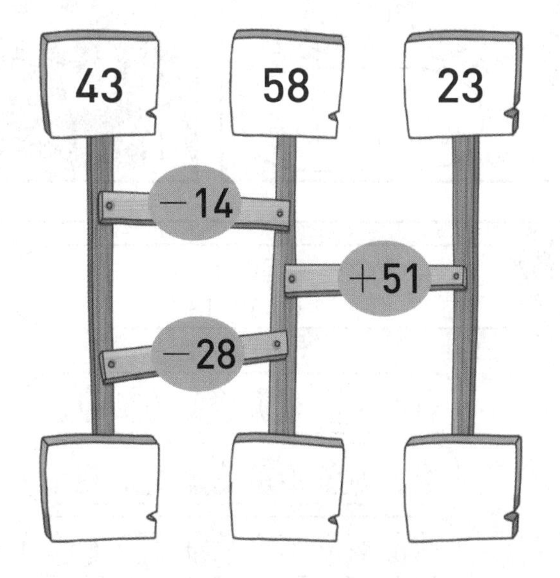

5 곱셈

실생활에서 알아보는 재미있는 수학 이야기

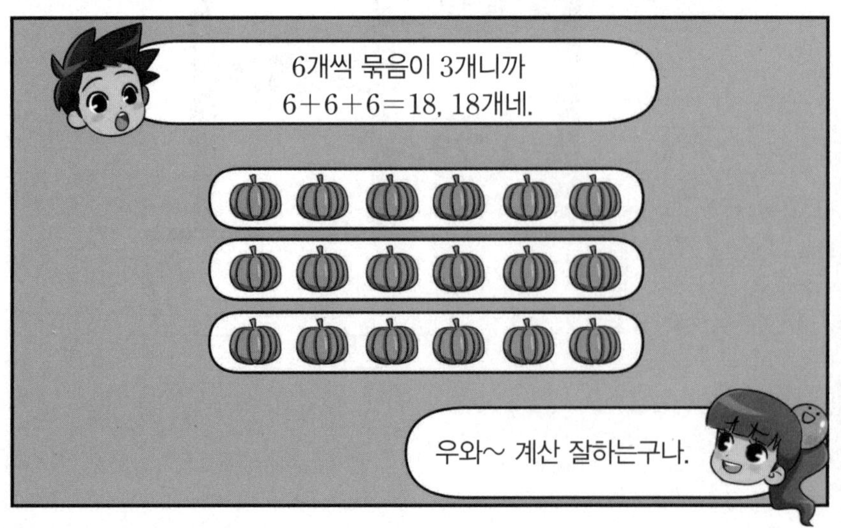

이번에 배울 내용을 알아볼까요?

- 1일차 묶어 세기
- 2일차 몇 배 알아보기
- 3일차 곱셈식 알아보기
- 4일차 곱셈식으로 나타내기

1 일차

묶어 세기

이렇게 해결하자

• 묶어 세어 보기

➜ 4씩 5묶음이므로 모두 20개입니다.

5 곱셈

모두 몇 개인지 묶어 세어 보세요.

❶

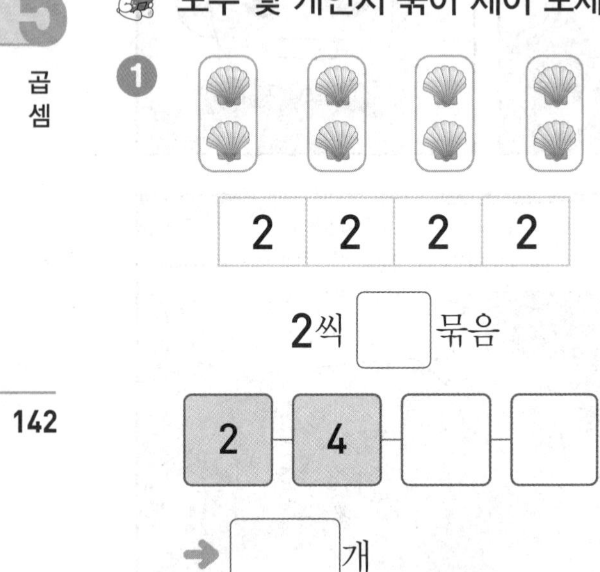

❷

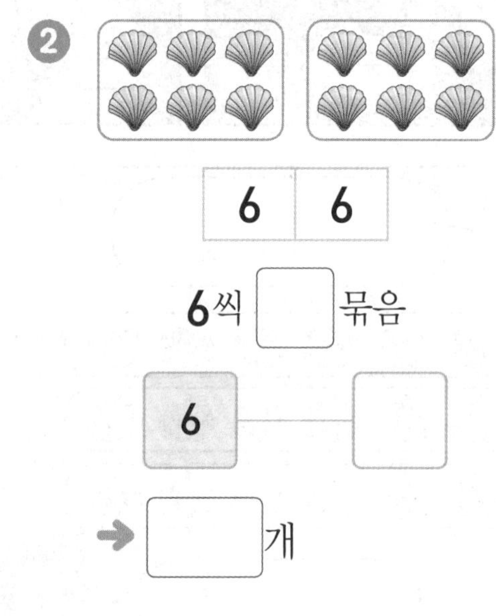

❸

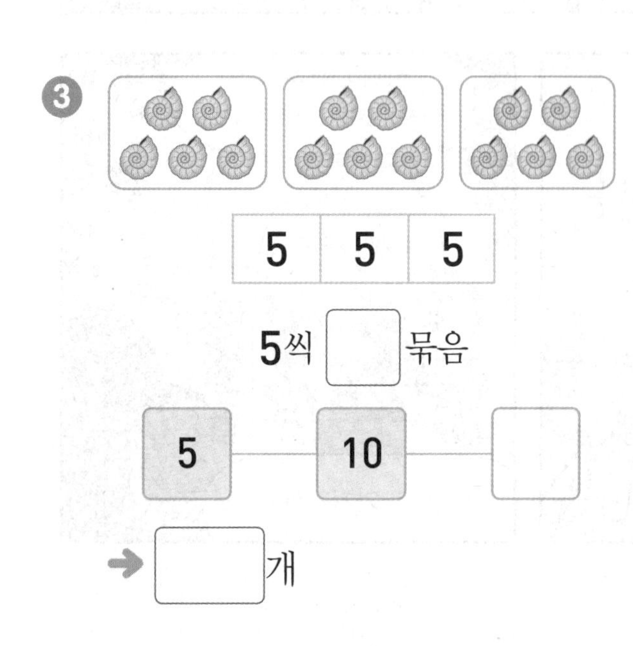

❹

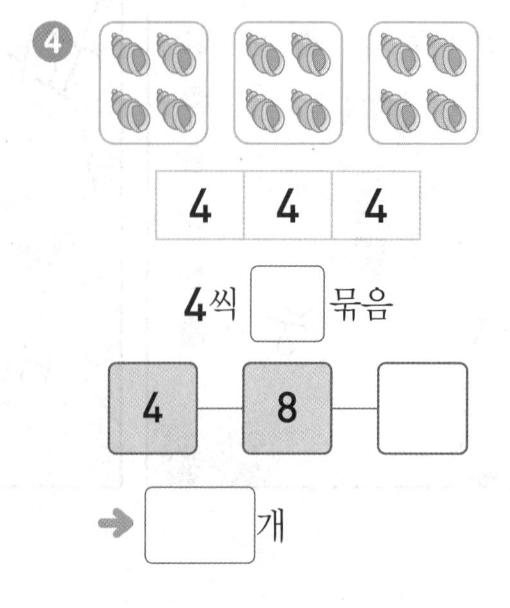

제한 시간 3분

기초 계산 연습

맞은 개수 / 8개

▶ 정답과 해설 21쪽

모두 몇 마리인지 묶음 수를 다르게 하여 세어 보세요.

5

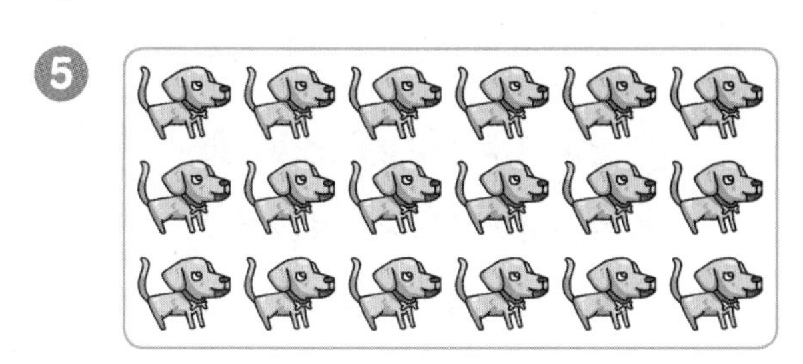

3씩 ☐ 묶음
6씩 ☐ 묶음
→ ☐ 마리

6

3씩 ☐ 묶음
8씩 ☐ 묶음
→ ☐ 마리

7

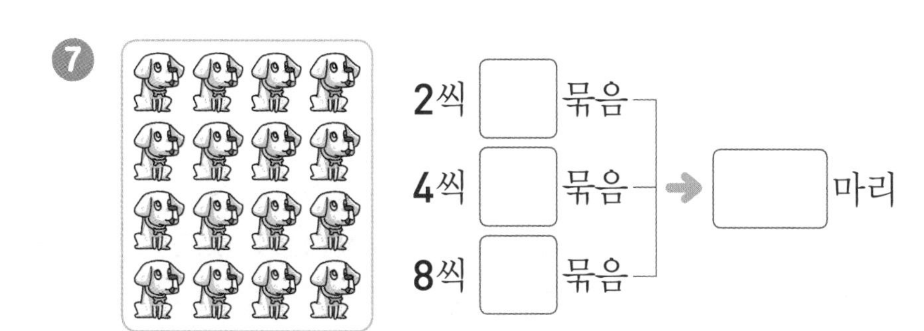

2씩 ☐ 묶음
4씩 ☐ 묶음
8씩 ☐ 묶음
→ ☐ 마리

8

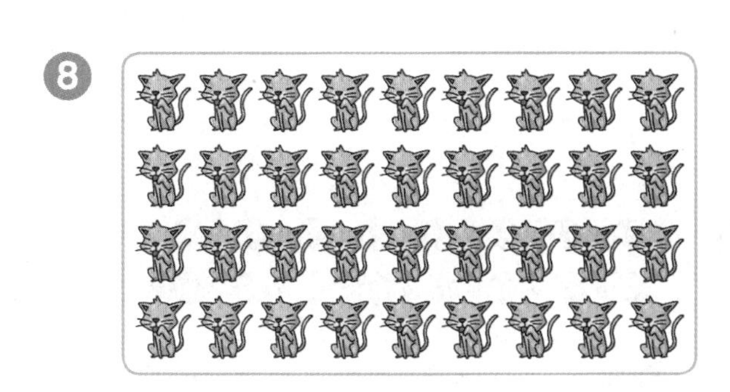

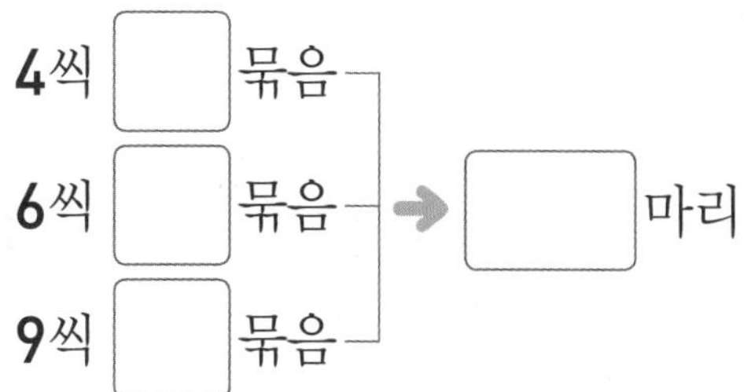

4씩 ☐ 묶음
6씩 ☐ 묶음
9씩 ☐ 묶음
→ ☐ 마리

1 일차

묶어 세기

그림을 보고 ▢ 안에 알맞은 수를 써넣으세요.

1

6씩 ▢ 묶음 → ▢ 마리

2

7씩 ▢ 묶음 → ▢ 마리

3

▢ 씩 4묶음 → ▢ 마리

4

▢ 씩 4묶음 → ▢ 마리

5

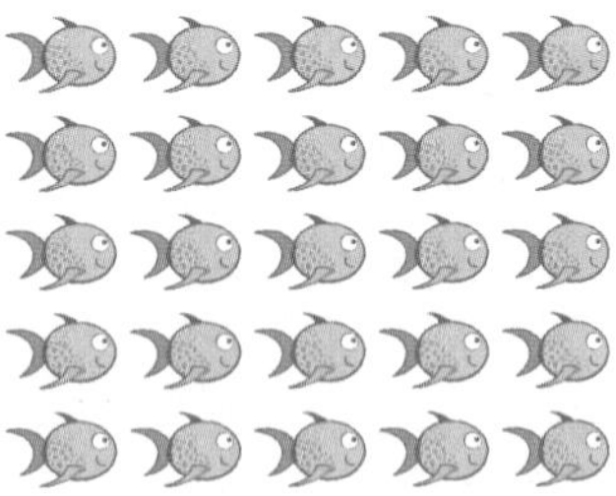

▢ 씩 5묶음 → ▢ 마리

6

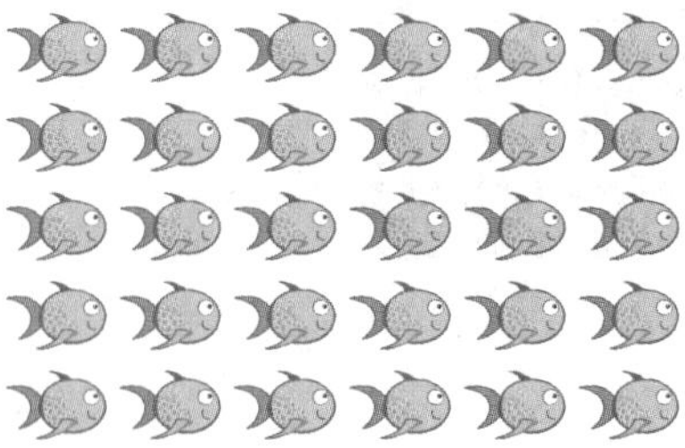

▢ 씩 5묶음 → ▢ 마리

7

7씩 ▢ 묶음 → ▢ 마리

8

8씩 ▢ 묶음 → ▢ 마리

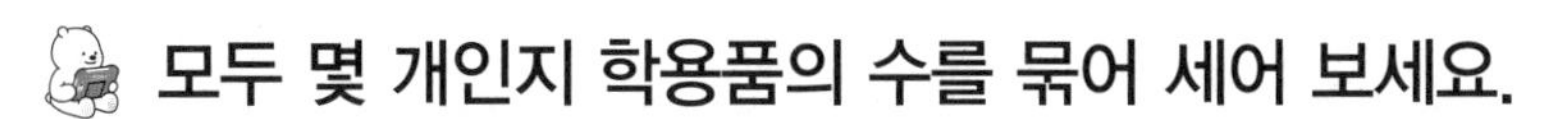

맞은 개수 / 16개

▶ 정답과 해설 21쪽

생활 속 문제

모두 몇 개인지 학용품의 수를 묶어 세어 보세요.

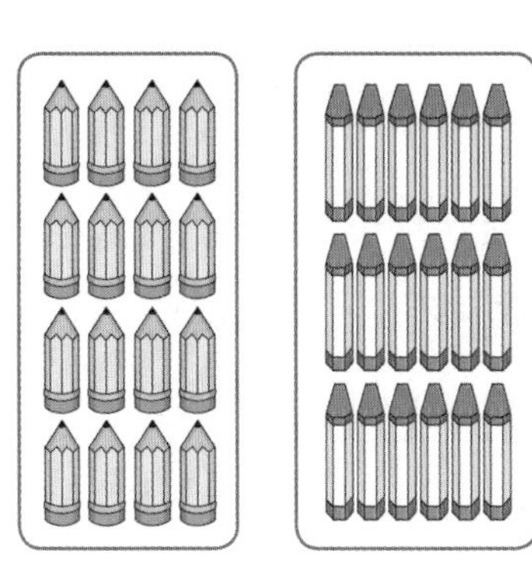
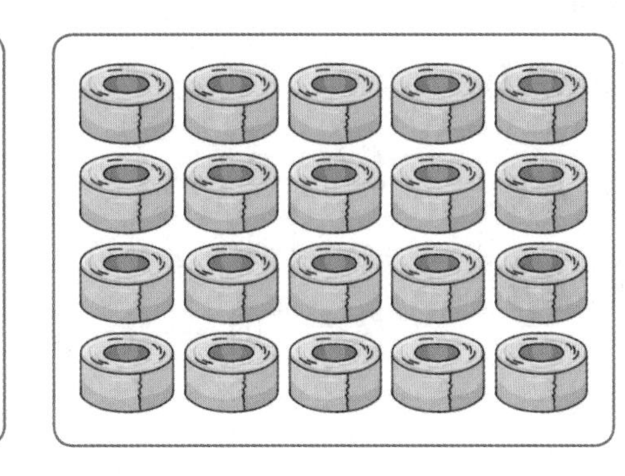
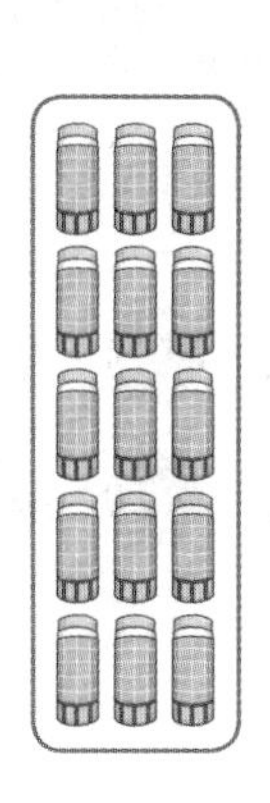

9 : 4씩 ☐ 묶음 → ☐ 개

10 : 6씩 ☐ 묶음 → ☐ 개

11 : 5씩 ☐ 묶음 → ☐ 개

12 : 3씩 ☐ 묶음 → ☐ 개

문장 읽고 문제 해결하기

13 사과가 7개씩 5묶음이면 모두 몇 개?

답 ________ 개

14 키위가 9개씩 3묶음이면 모두 몇 개?

답 ________ 개

15 가위가 4개씩 8묶음이면 모두 몇 개?

답 ________ 개

16 지우개가 6개씩 7묶음이면 모두 몇 개?

답 ________ 개

2 일차

몇 배 알아보기

이렇게 해결하자

• 2의 몇 배인지 알아보기

2씩 4묶음 → 2의 4배

2의 4배는 2를 4번 더한 것과 같습니다.

2의 4배 → 2+2+2+2=8

4번

■씩 ●묶음은
■의 ●배예요.

5 곱셈

그림을 보고 몇의 몇 배인지 구하세요.

❶

2씩 7묶음 → 2의 □배

❷

2씩 □묶음 → 2의 □배

❸

3씩 □묶음 → 3의 □배

❹

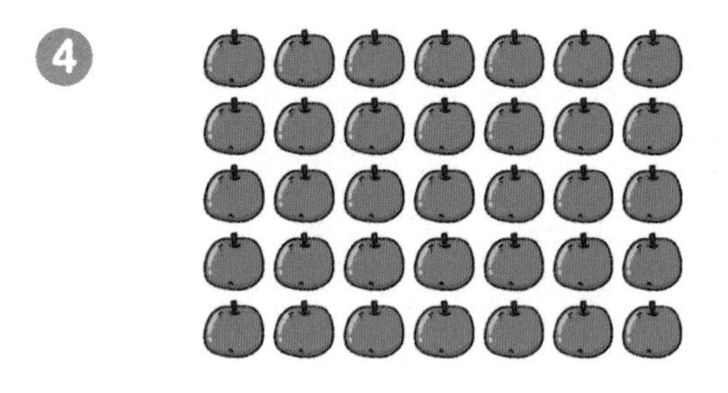

7씩 □묶음 → 7의 □배

❺

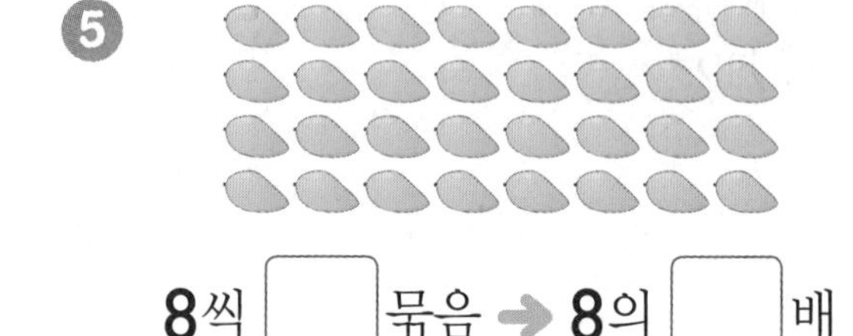

8씩 □묶음 → 8의 □배

❻

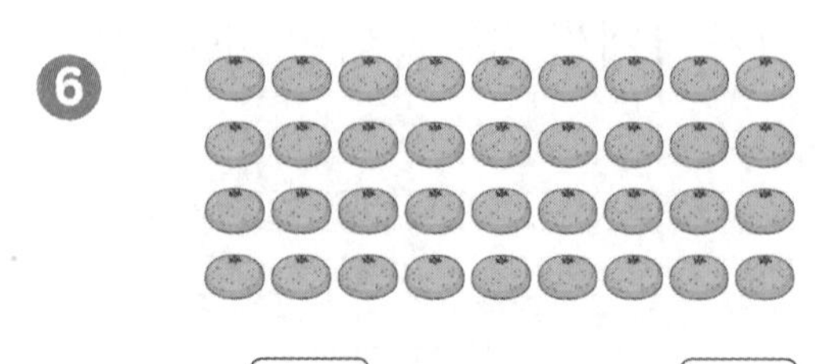

9씩 □묶음 → 9의 □배

기초 계산 연습

맞은 개수 / 14개

▶ 정답과 해설 22쪽

빨간색 구슬 수는 파란색 구슬 수의 몇 배인지 ▢ 안에 알맞은 수를 써넣으세요.

7 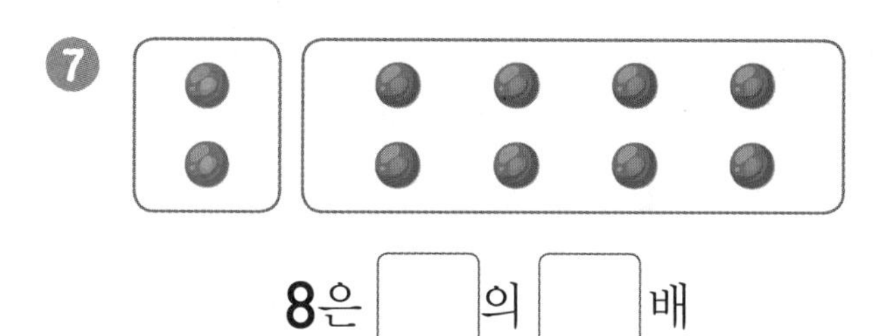

8은 ▢의 ▢배

8 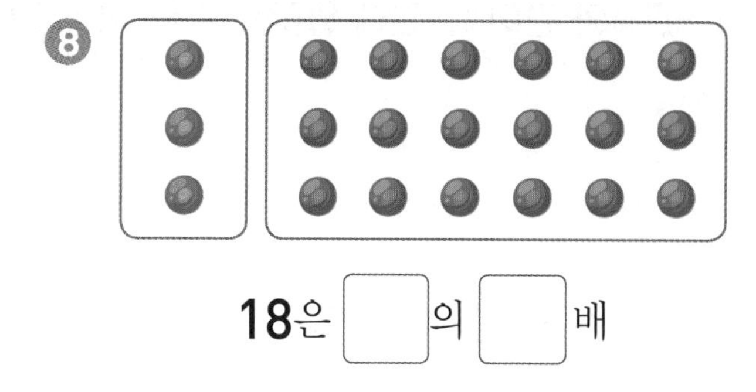

18은 ▢의 ▢배

9 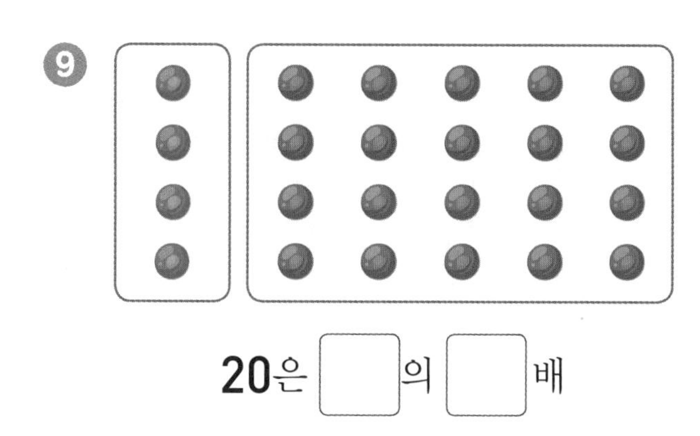

20은 ▢의 ▢배

10 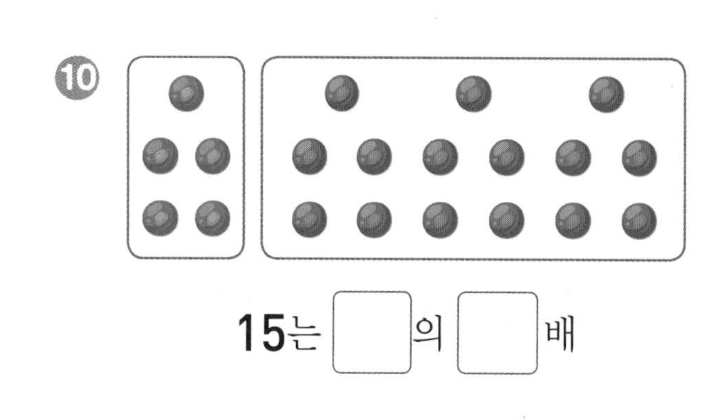

15는 ▢의 ▢배

11 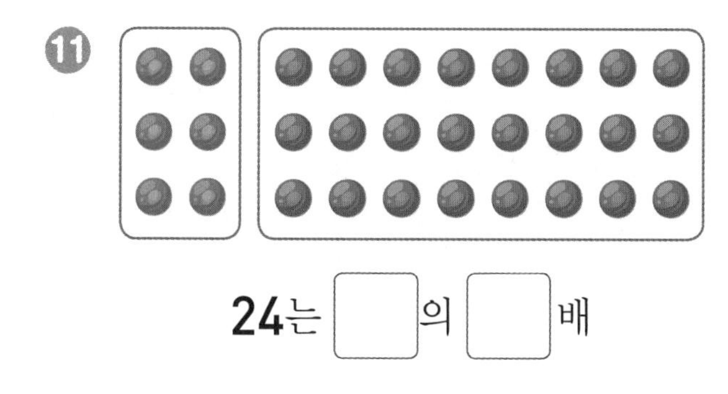

24는 ▢의 ▢배

12 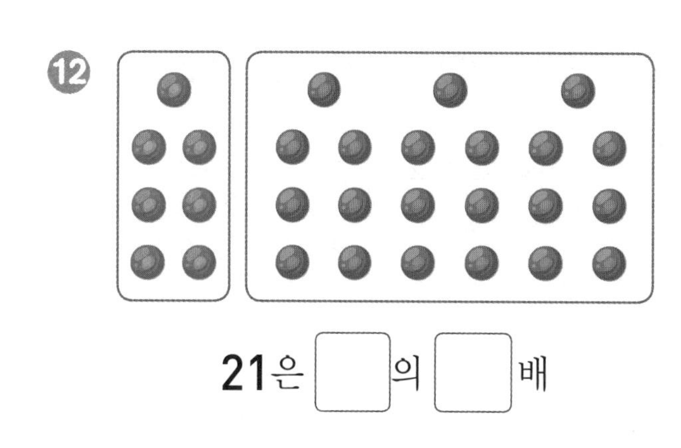

21은 ▢의 ▢배

13 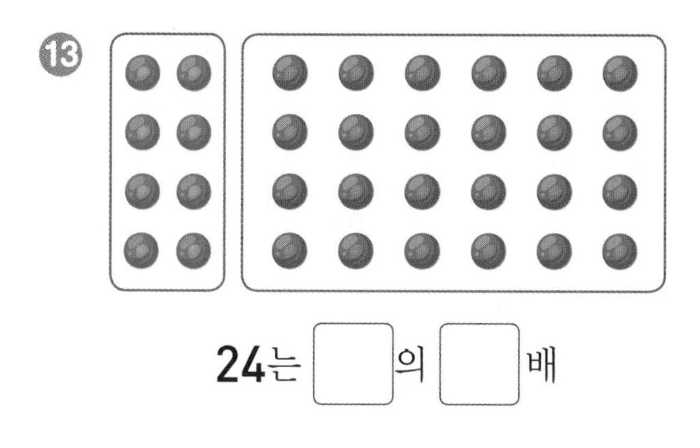

24는 ▢의 ▢배

14 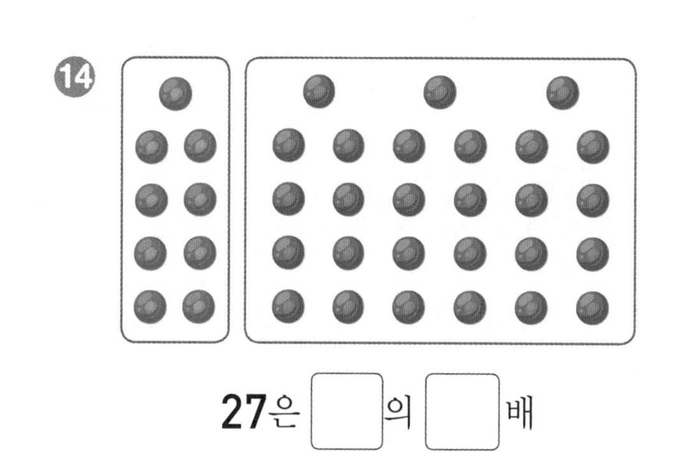

27은 ▢의 ▢배

2 일차 몇 배 알아보기

보기 와 같이 □ 안에 알맞은 수를 써넣으세요.

보기

9+9+9+9+9+9+9

9씩 7묶음 → 9의 7배

1 6+6+6+6+6+6

6씩 □ 묶음 → □ 의 □ 배

2 4+4+4+4+4

4씩 □ 묶음 → □ 의 □ 배

3 2+2+2+2+2+2+2

2씩 □ 묶음 → □ 의 □ 배

□ 안에 알맞은 수를 써넣으세요.

4 3씩 9묶음 → □ 의 □ 배

5 8씩 3묶음 → □ 의 □ 배

6 5씩 7묶음 → □ 의 □ 배

7 6씩 5묶음 → □ 의 □ 배

8 2의 9배 → 2씩 □ 묶음

9 6의 9배 → 6씩 □ 묶음

제한 시간 3분

플러스 계산 연습

맞은 개수 / 15개

▶ 정답과 해설 22쪽

생활 속 문제

주어진 과일의 수는 딸기의 수의 몇 배인지 각각 구하세요.

10

☐배 ☐배 ☐배

11

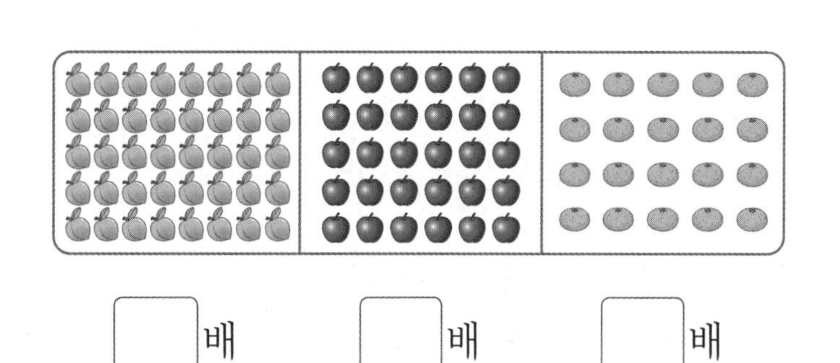

☐배 ☐배 ☐배

문장 읽고 문제 해결하기

12 56은 8의 몇 배?

답 ______ 배

13 48은 6의 몇 배?

답 ______ 배

14 49는 7의 몇 배?

답 ______ 배

15 45는 5의 몇 배?

답 ______ 배

곱셈식 알아보기

이렇게 해결하자

• 곱셈식 쓰고 읽기

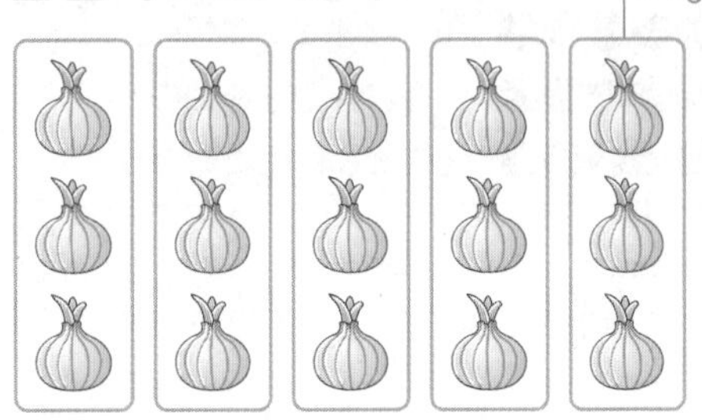

• 3의 5배를 **3 × 5**라고 씁니다.

• 3×5는 **3 곱하기 5**라고 읽습니다.

• 3+3+3+3+3은 3×5와 같습니다.

• 3×5=15는 **3 곱하기 5는 15와 같습니다**라고 읽습니다.

• 3과 5의 **곱**은 15입니다.

참고

곱셈 기호 쓰기: ①↘②↙ 또는 ②↙①↘

그림을 보고 ☐ 안에 알맞은 수를 써넣으세요.

❶ 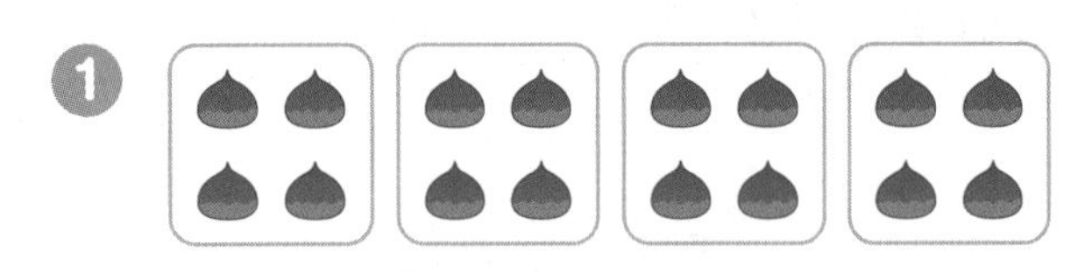

4의 4배 → 4 × ☐

❷ 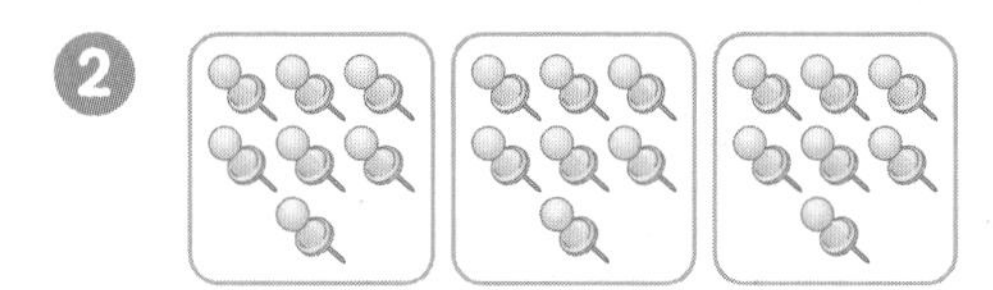

7의 3배 → 7 × ☐

❸ 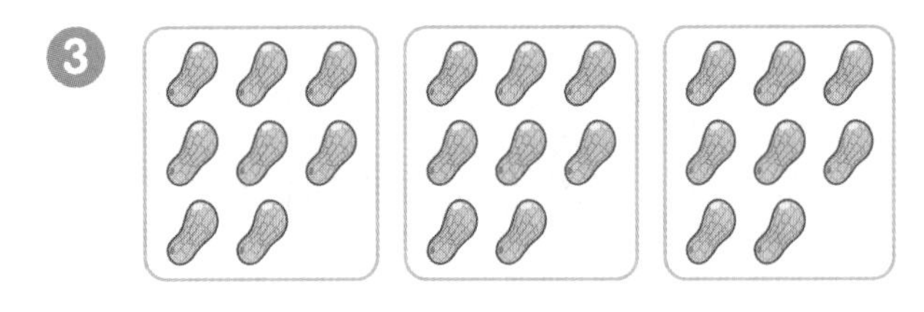

8의 3배 → 8 × ☐

❹ 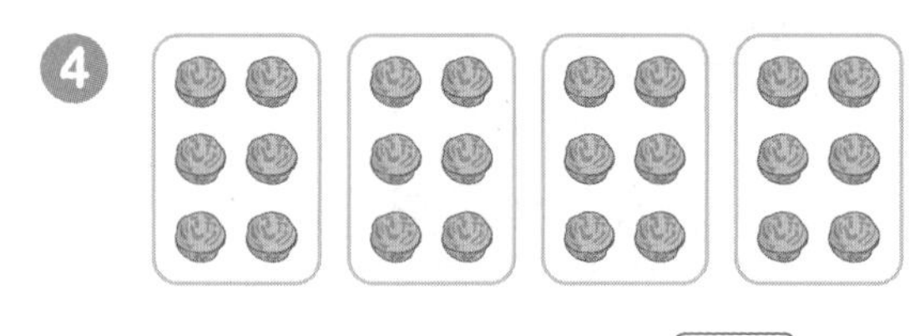

6의 4배 → 6 × ☐

❺ 

5의 6배 → 5 × ☐

❻ 

4의 8배 → 4 × ☐

기초 계산 연습

맞은 개수 / 18개

▶ 정답과 해설 22쪽

□ 안에 알맞은 수를 써넣으세요.

⑦ $2+2+2+2=\square$

➔ $2\times\square=\square$

⑧ $3+3+3=\square$

➔ $3\times\square=\square$

⑨ $9+9+9=\square$

➔ $9\times\square=\square$

⑩ $8+8+8+8=\square$

➔ $8\times\square=\square$

⑪ $4+4+4+4+4=\square$

➔ $4\times\square=\square$

⑫ $6+6+6+6+6=\square$

➔ $6\times\square=\square$

⑬ $5+5+5+5+5=\square$

➔ $5\times\square=\square$

⑭ $5+5+5+5+5+5+5=\square$

➔ $5\times\square=\square$

⑮ $7+7+7+7+7+7+7=\square$

➔ $7\times\square=\square$

⑯ $9+9+9+9+9+9=\square$

➔ $9\times\square=\square$

⑰ $4+4+4+4+4+4=\square$

➔ $4\times\square=\square$

⑱ $3+3+3+3+3+3+3=\square$

➔ $3\times\square=\square$

3 일차

곱셈식 알아보기

그림을 보고 ▢ 안에 알맞은 수를 써넣으세요.

1 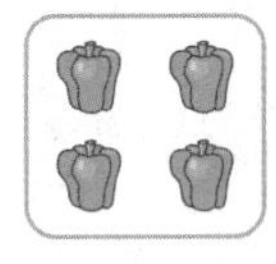 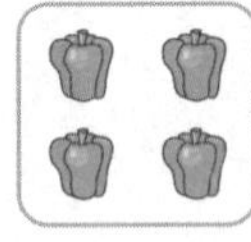 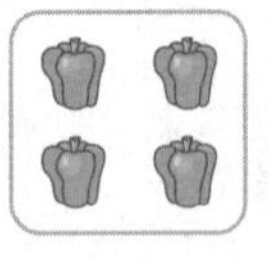 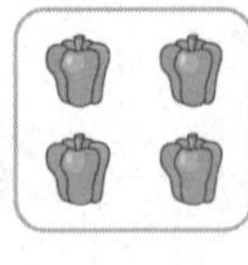

4의 4배 ➔ 4 × ▢

2 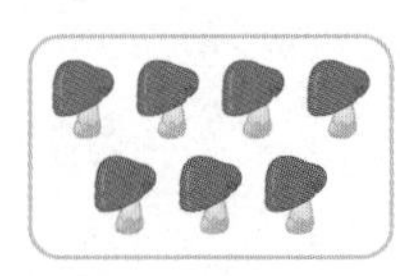 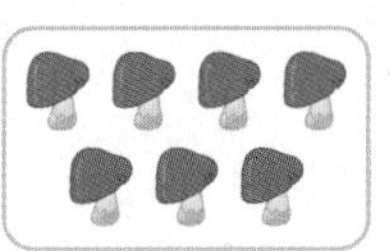

7의 2배 ➔ 7 × ▢

3 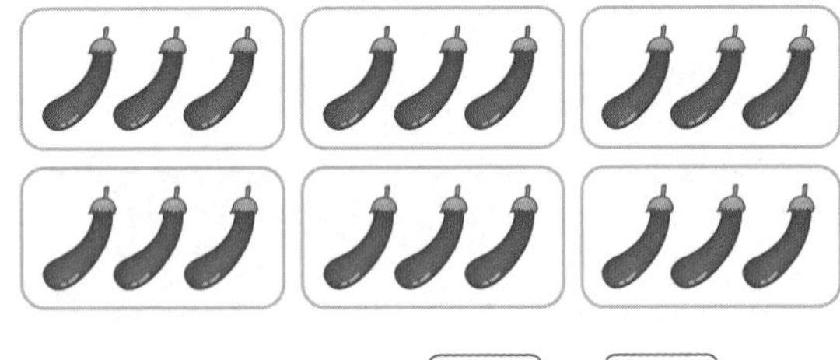

3의 6배 ➔ ▢ × ▢

4 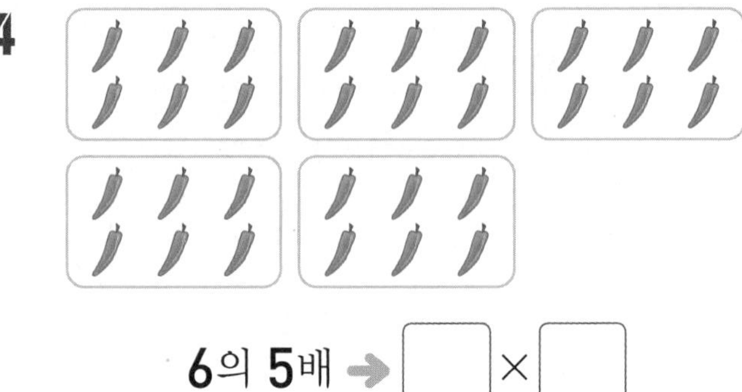

6의 5배 ➔ ▢ × ▢

▢ 안에 알맞은 수를 써넣으세요.

5 $9+9+9+9+9=$ ▢

➔ ▢ × ▢ = ▢

6 $7+7+7+7+7+7+7+7=$ ▢

➔ ▢ × ▢ = ▢

7 $4+4+4+4+4=$ ▢

➔ ▢ × ▢ = ▢

8 $2+2+2+2+2+2+2+2=$ ▢

➔ ▢ × ▢ = ▢

9 $8+8+8+8+8+8=$ ▢

➔ ▢ × ▢ = ▢

10 $6+6+6+6+6+6+6=$ ▢

➔ ▢ × ▢ = ▢

맞은 개수 / 18개

▶ 정답과 해설 23쪽

호박을 몇 개 구입했는지 곱셈식으로 나타내어 보세요.

11

내가 산 호박의 수는 6개씩 8묶음이야.

6씩 □ 묶음

➜ 6 × □ = □ (개)

12

내가 산 호박의 수는 5개씩 9묶음이야.

5씩 □ 묶음

➜ 5 × □ = □ (개)

13

내가 산 호박의 수는 9개씩 9묶음이야.

9씩 □ 묶음

➜ 9 × □ = □ (개)

14

내가 산 호박의 수는 8개씩 8묶음이야.

8씩 □ 묶음

➜ 8 × □ = □ (개)

문장 읽고 계산식 세우기

곱셈식으로 나타내어 보세요.

15

5와 8의 곱은 40입니다.

식 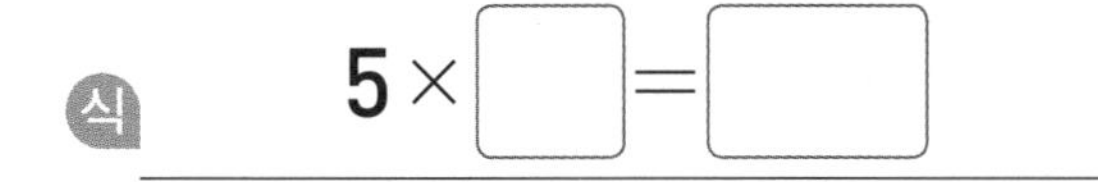
5 × □ = □

16

7의 9배는 63입니다.

식 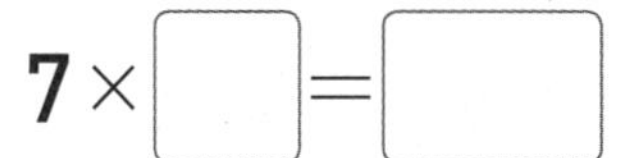
7 × □ = □

17

7씩 3묶음은 21입니다.

식 □ × □ = □

18

8과 9의 곱은 72입니다.

식 
□ × □ = □

5 곱셈

곱셈식으로 나타내기

이렇게 해결하자

• 그림을 보고 곱셈식으로 나타내기

덧셈식 $3+3+3+3+3+3=18$ (6번)

곱셈식 $3\times6=18$

그림을 보고 덧셈식과 곱셈식으로 나타내어 보세요.

1

덧셈식 $3+\square+\square+\square+\square=\square$

곱셈식 $3\times\square=\square$

2

덧셈식 $6+\square+\square=\square$

곱셈식 $6\times\square=\square$

3

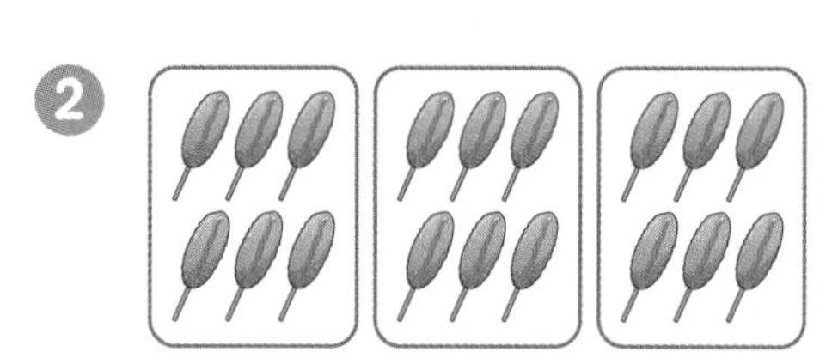

덧셈식 $2+2+\square+\square+\square=\square$

곱셈식 $\square\times\square=\square$

4

덧셈식 $4+4+\square+\square+\square+\square=\square$

곱셈식 $\square\times\square=\square$

제한 시간 3분

기초 계산 연습

맞은 개수 / 12개

▶ 정답과 해설 23쪽

그림을 보고 덧셈식과 곱셈식으로 나타내어 보세요.

5

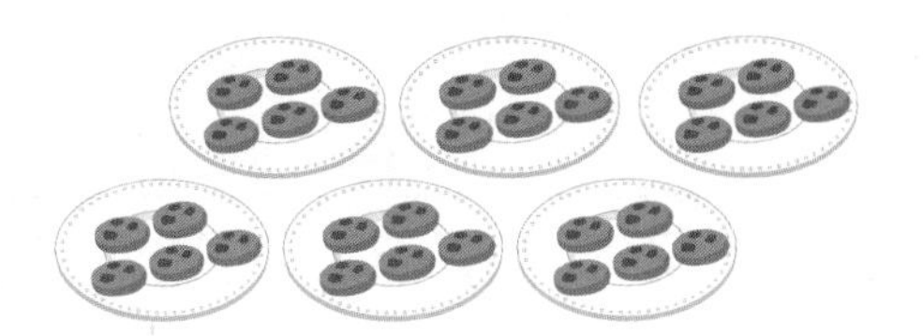

덧셈식 ______________________

곱셈식 ______________________

6

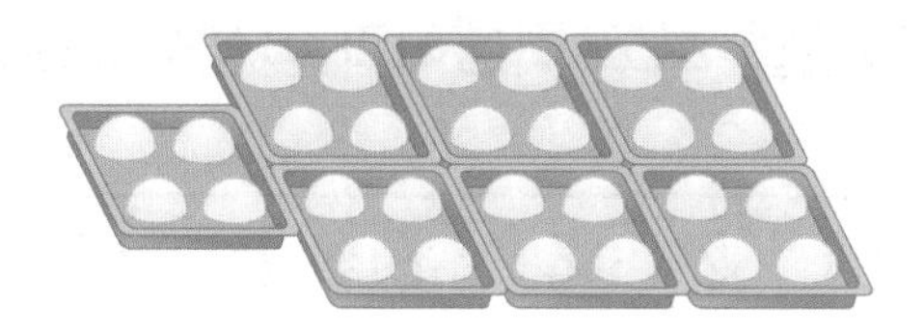

덧셈식 ______________________

곱셈식 ______________________

7

덧셈식 ______________________

곱셈식 ______________________

8

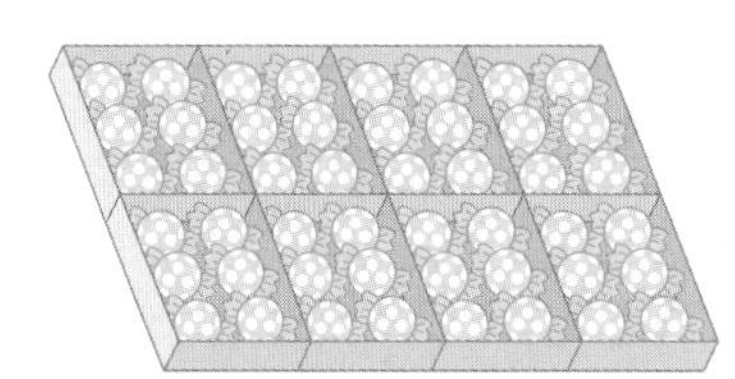

덧셈식 ______________________

곱셈식 ______________________

9

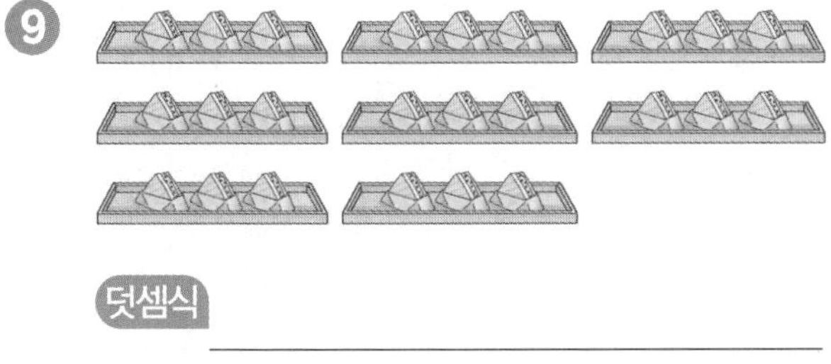

덧셈식 ______________________

곱셈식 ______________________

10

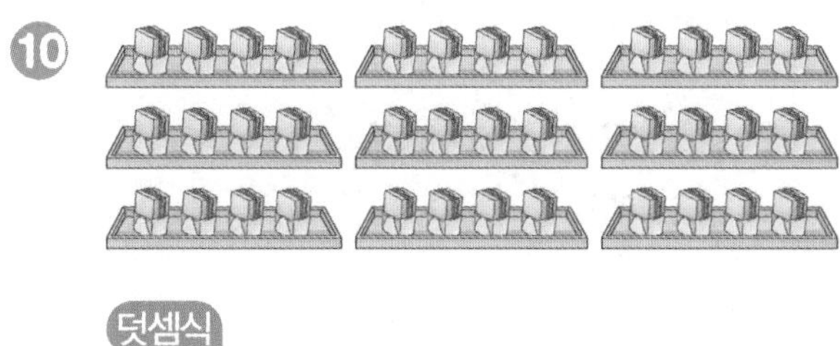

덧셈식 ______________________

곱셈식 ______________________

11

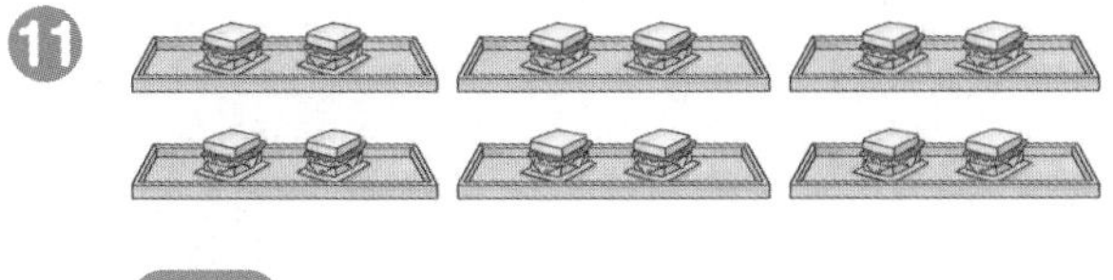

덧셈식 ______________________

곱셈식 ______________________

12

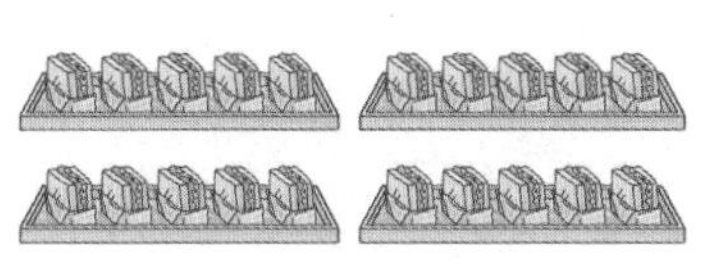

덧셈식 ______________________

곱셈식 ______________________

곱셈식으로 나타내기

그림을 보고 덧셈식과 곱셈식으로 나타내어 보세요.

1

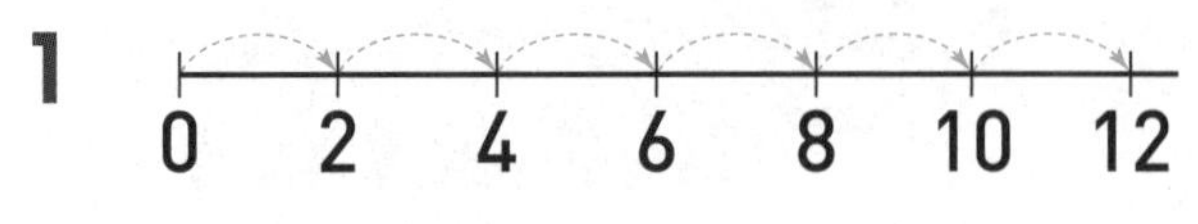

덧셈식 ______________________

곱셈식 ______________________

2

0 5 10 15 20 25

덧셈식 ______________________

곱셈식 ______________________

3

0 8 16 24 32 40 48

덧셈식 ______________________

곱셈식 ______________________

4

0 9 18 27 36

덧셈식 ______________________

곱셈식 ______________________

과자 접시가 다음과 같이 있을 때 과자의 수를 곱셈식으로 나타내어 보세요.

5

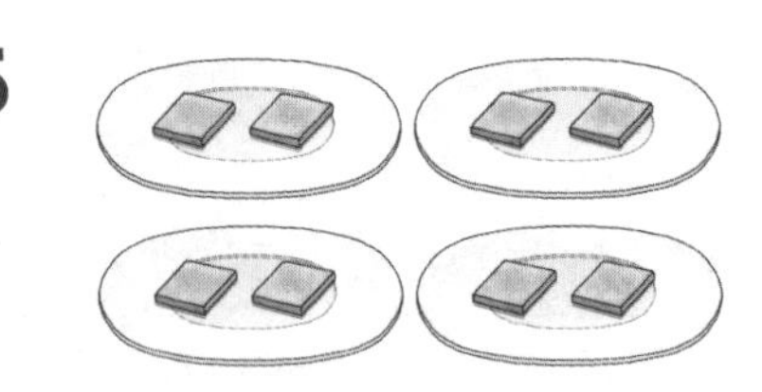

2의 4배 ➔ □ × □ = □(개)

6

3의 6배 ➔ □ × □ = □(개)

7

4의 4배 ➔ □ × □ = □(개)

제한 시간 3분

플러스 계산 연습

맞은 개수 / 15개

▶ 정답과 해설 23쪽

생활 속 계산

주어진 빵의 수를 곱셈식으로 나타내어 보세요.

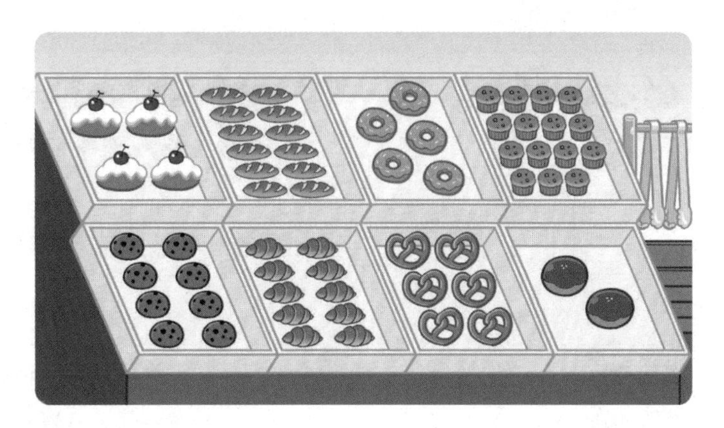

8 (바게트): $4 \times \square = \square$(개)

$3 \times \square = \square$(개)

9 (머핀): $5 \times \square = \square$(개)

$3 \times \square = \square$(개)

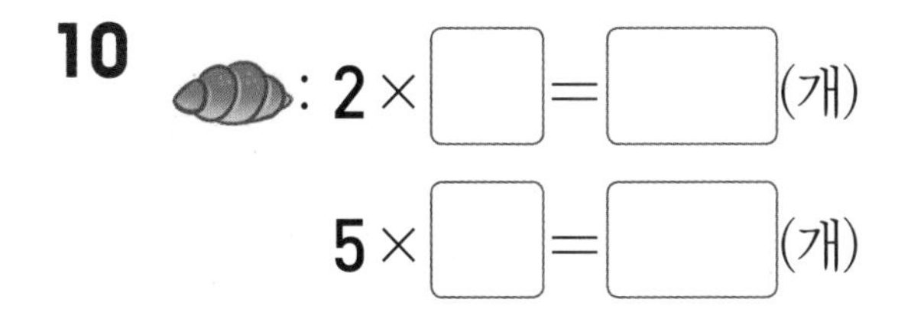

10 (크루아상): $2 \times \square = \square$(개)

$5 \times \square = \square$(개)

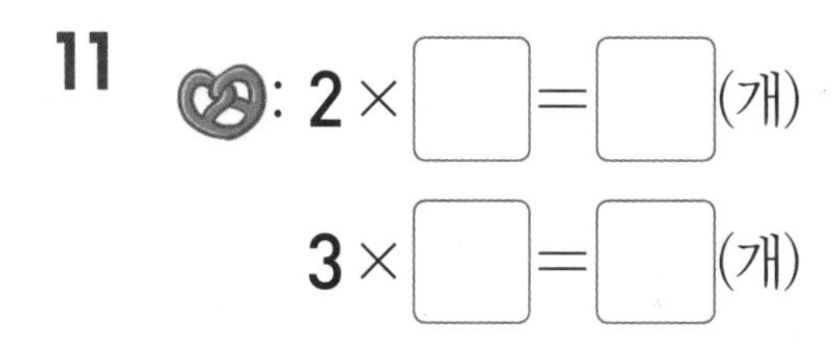

11 (프레첼): $2 \times \square = \square$(개)

$3 \times \square = \square$(개)

문장 읽고 계산식 세우기

12 6씩 7묶음을 덧셈식과 곱셈식으로 각각 나타내면?

덧셈식 ____________________

곱셈식 ____________________

13 8씩 5묶음을 덧셈식과 곱셈식으로 각각 나타내면?

덧셈식 ____________________

곱셈식 ____________________

14 9씩 4묶음을 덧셈식과 곱셈식으로 각각 나타내면?

덧셈식 ____________________

곱셈식 ____________________

15 7씩 5묶음을 덧셈식과 곱셈식으로 각각 나타내면?

덧셈식 ____________________

곱셈식 ____________________

평가 SPEED 연산력 TEST

제한 시간 5분

 모두 몇 개인지 묶어 세어 보세요.

❶ 
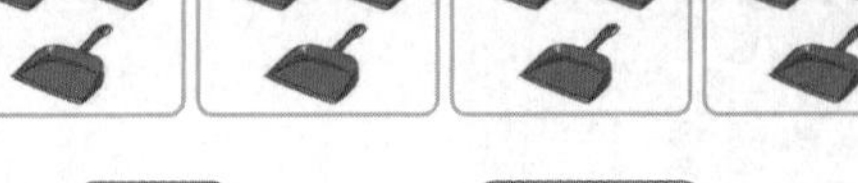

3씩 □ 묶음 → □ 개

❷ 

2씩 □ 묶음 → □ 개

❸ 

4씩 □ 묶음 → □ 개

❹ 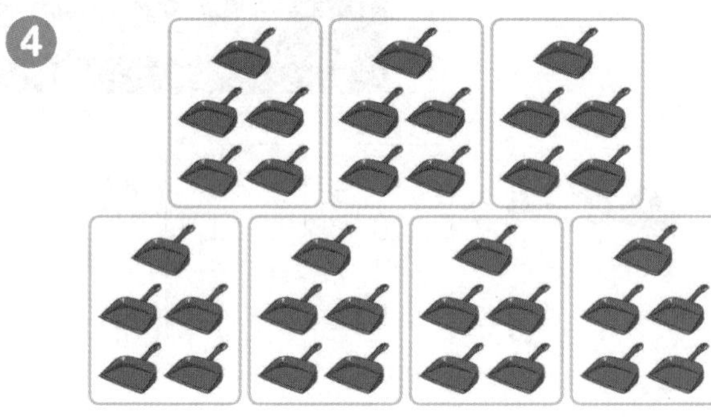

5씩 □ 묶음 → □ 개

 □ 안에 알맞은 수를 써넣으세요.

❺ 4씩 5묶음 → 4의 □ 배

→ □ + □ + □ + □ + □ = □

❻ 8씩 3묶음 → 8의 □ 배 → □ + □ + □ = □

❼ 9씩 6묶음 → 9의 □ 배

→ □ + □ + □ + □ + □ + □ = □

❽ □ 씩 4묶음 → 8의 □ 배 → □ + □ + □ + □ = □

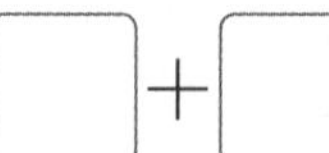
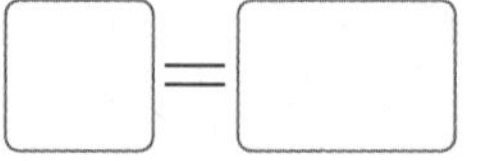

▶정답과 해설 24쪽

맞은 개수 / 20개

곱셈식으로 나타내어 보세요.

9. 6 곱하기 5는 30과 같습니다.

식 ____________

10. 3 곱하기 9는 27과 같습니다.

식 ____________

11. 4 곱하기 9는 36과 같습니다.

식 ____________

12. 7 곱하기 6은 42와 같습니다.

식 ____________

□ 안에 알맞은 수를 써넣으세요.

13. 7씩 7묶음

→ □ × □ = □

14. 9씩 8묶음

→ □ × □ = □

15. 4씩 8묶음

→ □ × □ = □

16. 8씩 6묶음

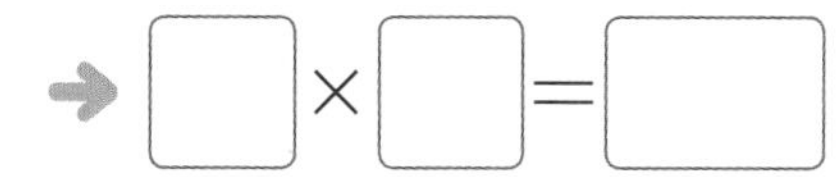

17. 3의 6배

→ □ × □ = □

18. 7의 8배

→ □ × □ = □

19. 8의 8배

→ □ × □ = □

20. 2의 9배

→ □ × □ = □

제한 시간 안에 정확하게
모두 풀었다면 여러분은 진정한 **계산왕!**

5 곱셈

특강

문장제 문제 도전하기

1

2의 5배

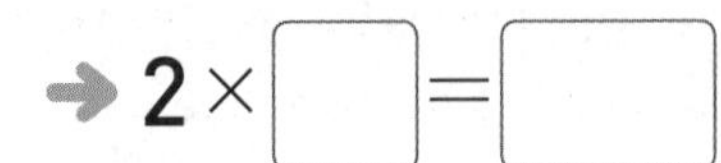

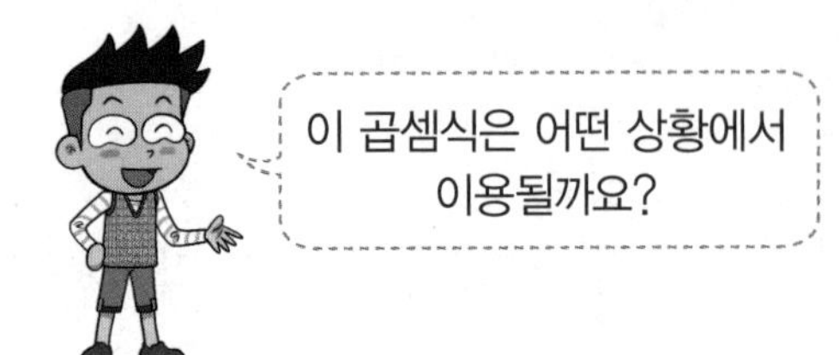

→ 배가 2개 있습니다. 귤의 수는 배의 수의 5배입니다. 귤은 모두 몇 개인지 곱셈식으로 나타내고 답을 구하세요.

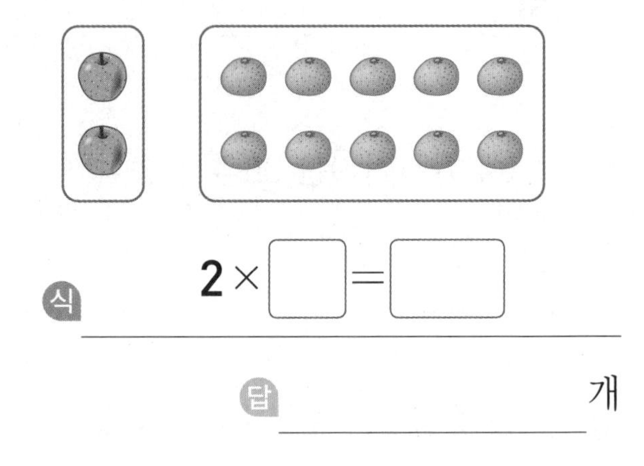

2

8씩 4묶음

→ 8의 □ 배

→ 8 × □ = □

→ 색종이가 한 묶음에 8장씩 4묶음 있습니다. 색종이는 모두 몇 장인지 곱셈식으로 나타내고 답을 구하세요.

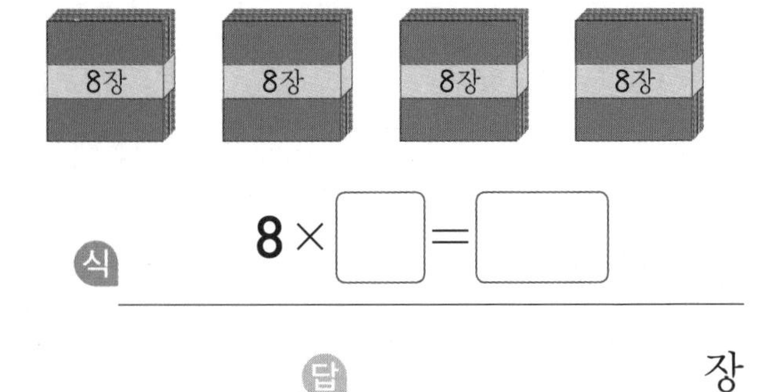

답 ____ 장

▶정답과 해설 24쪽

문장을 읽고 알맞은 곱셈식을 세워 답을 구해 보자!

3 축구공이 **5**개 있습니다. 농구공 수는 축구공 수의 **6**배입니다.
농구공은 모두 몇 개인지 곱셈식으로 나타내고 답을 구하세요.

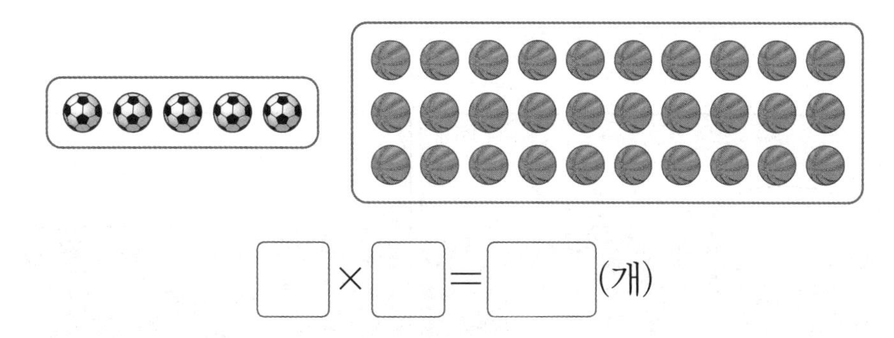

□ × □ = □(개)

4 빵( )이 한 상자( )에 **9**개씩 **7**상자 있습니다.
빵은 모두 몇 개인지 곱셈식으로 나타내고 답을 구하세요.

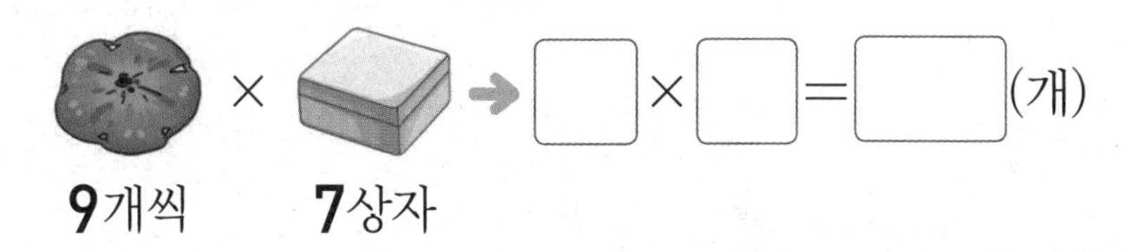

□ × □ = □(개)

5 당근( )이 **9**개 있습니다. 감자( ) 수는 당근 수의 **4**배입니다.
감자는 모두 몇 개인지 곱셈식으로 나타내고 답을 구하세요.

□ × □ = □(개)

특강 창의·융합·코딩·도전하기

아닥스는 모두 몇 마리일까?

계절에 따라 털 색깔이 바뀌는 사막의 멋쟁이인 아닥스가 모여 있습니다.

아닥스는 6씩 몇 묶음인지 확인하고 곱셈식으로 알아보자.

6씩 ☐ 묶음 ➔ 6 × ☐

곱셈식 $6 \times$ ☐ $=$ ☐

답 ________ 마리

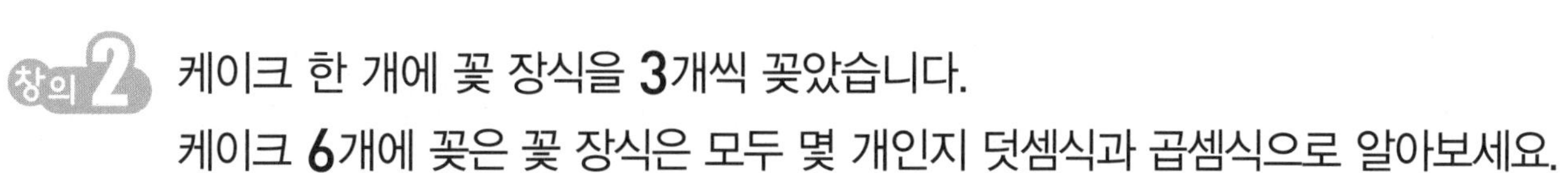

창의 2 케이크 한 개에 꽃 장식을 3개씩 꽂았습니다.
케이크 6개에 꽂은 꽃 장식은 모두 몇 개인지 덧셈식과 곱셈식으로 알아보세요.

덧셈식 ____________________

곱셈식 ____________________

답 ____________ 개

창의 3 재우는 게시판을 꾸미기 위해 종이에 모양을 그려 보았습니다. □ 안에 알맞은 수를 써넣으세요.

(1) ♥ 모양은 5의 4배만큼인 □개입니다.

(2) ★ 모양은 4의 □배만큼인 □개입니다.

www.chunjae.co.kr

천재교육의 주요 교재를 소개합니다.

#차원이_다른_클라쓰
#강의전문교재
#초등교재

수학교재

●수학리더 시리즈

– 수학리더 [연산]	예비초~6학년/A·B단계
– 수학리더 [개념]	1~6학년/학기별
– 수학리더 [기본]	1~6학년/학기별
– 수학리더 [유형]	1~6학년/학기별
– 수학리더 [기본+응용]	1~6학년/학기별
– 수학리더 [응용·심화]	1~6학년/학기별
신간 수학리더 [최상위]	3~6학년/학기별
●수학도 독해가 힘이다 *문제해결력	1~6학년/학기별
신간 **독해가 힘이다** [문장제 수학편]	1~6학년/총 12권

●수학의 힘 시리즈

– 수학의 힘 알파[실력]	3~6학년/학기별
– 수학의 힘 베타[유형]	1~6학년/학기별
– 수학의 힘 감마[최상위]	3~6학년/학기별

●Go! 매쓰 시리즈

– Go! 매쓰(Start) *교과서 개념	1~6학년/학기별
– Go! 매쓰(Run A/B/C) *교과서+사고력	1~6학년/학기별
– Go! 매쓰(Jump) *유형 사고력	1~6학년/학기별
●계산박사	1~12단계

전과목교재

●리더 시리즈

– 국어	1~6학년/학기별
– 사회	3~6학년/학기별
– 과학	3~6학년/학기별

시험 대비교재

●올백 전과목 단원평가	1~6학년/학기별 (1학기는 2~6학년)
●HME 수학 학력평가	1~6학년/상·하반기용
●HME 국어 학력평가	1~6학년

쉽고 빠른 드릴 연산서

해법 전략

수학리더 연산 2A

- 혼자서도 이해할 수 있는 친절한 문제 풀이
- OX퀴즈로 계산 원리 다시 알아보기

천재교육

해법전략
포인트 3가지

- 혼자서도 이해할 수 있는 친절한 문제 풀이
- 참고, 주의 등 자세한 풀이 제시
- OX퀴즈로 계산 원리 다시 알아보기

정답과 해설

1 세 자리 수

1일차 기초 계산 연습 6~7쪽

① 1	② 3	③ 5
④ 4	⑤ 10	⑥ 20
⑦ 40	⑧ 30	⑨ 10
⑩ 10	⑪ 600	⑫ 3
⑬ 800	⑭ 5	⑮ 900
⑯ 7	⑰ 200, 이백	⑱ 400, 사백
⑲ 500, 오백	⑳ 300, 삼백	

② 100은 97보다 3만큼 더 큰 수입니다.

⑩ 100은 10개씩 10묶음입니다.

⑪ 100이 6개이면 600입니다.

⑫ 300은 100이 3개인 수입니다.

⑬ 100이 8개이면 800입니다.

⑭ 500은 100이 5개인 수입니다.

⑮ 100이 9개이면 900입니다.

⑯ 700은 100이 7개인 수입니다.

⑰ 백 모형이 2개이므로 200이라 쓰고, 200은 이백이라고 읽습니다.

⑱ 백 모형이 4개이므로 400이라 쓰고, 400은 사백이라고 읽습니다.

⑲ 백 모형이 5개이므로 500이라 쓰고, 500은 오백이라고 읽습니다.

⑳ 백 모형이 3개이므로 300이라 쓰고, 300은 삼백이라고 읽습니다.

1일차 플러스 계산 연습 8~9쪽

1 100 ; 100	**2** 100 ; 100
3 100 ; 100	**4** 20
5 30	**6** 40
7 50	**8** 10
9 60	**10** 600
11 300	**12** 400
13 800	**14** 200, 이백
15 500, 오백	**16** 700, 칠백
17 900, 구백	

4 80원이므로 20원이 더 필요합니다.

5 70원이므로 30원이 더 필요합니다.

10 100원짜리 동전이 6개이므로 600원입니다.

11 100원짜리 동전이 3개이므로 300원입니다.

12 100원짜리 동전이 4개이므로 400원입니다.

13 100원짜리 동전이 8개이므로 800원입니다.

16 100이 7개이면 700이라 쓰고, 700은 칠백이라고 읽습니다.

17 100이 9개이면 900이라 쓰고, 900은 구백이라고 읽습니다.

2일차 기초 계산 연습 10~11쪽

① 254	② 347	③ 461
④ 549	⑤ 468	⑥ 429
⑦ 385	⑧ 671	⑨ 574
⑩ 731	⑪ 526	⑫ 286
⑬ 503	⑭ 965	

① 백 모형 2개, 십 모형 5개, 일 모형 4개인 수 → 254

❷ 백 모형 3개, 십 모형 4개, 일 모형 7개인 수 ➔ 347

❺ 100이 4개 → 400
10이 6개 → 60
1이 8개 → 8
➔ 468

❻ 100이 4개 → 400
10이 2개 → 20
1이 9개 → 9
➔ 429

❼ 100이 3개 → 300
10이 8개 → 80
1이 5개 → 5
➔ 385

❽ 100이 6개 → 600
10이 7개 → 70
1이 1개 → 1
➔ 671

❾ 100이 5개 → 500
10이 7개 → 70
1이 4개 → 4
➔ 574

❿ 100이 7개 → 700
10이 3개 → 30
1이 1개 → 1
➔ 731

5 사백(4) 구십(9) 일(1) ➔ 491

6 칠백(7) 삼십(3) 팔(8) ➔ 738

7 육백(6) (0) 사(4) ➔ 604

8 삼백(3) 구십(9) 일(1) ➔ 391

9 수수깡이 100개씩 2통, 10개씩 2묶음, 낱개 7개이므로 227개입니다.

13 100이 9개이면 900, 10이 8개이면 80, 1이 7개이면 7이므로 987입니다.

14 100이 8개이면 800, 10이 3개이면 30, 1이 6개이면 6이므로 836입니다.

15 100이 7개이면 700, 10이 4개이면 40, 1이 2개이면 2이므로 742입니다.

16 100이 6개이면 600, 10이 9개이면 90, 1이 3개이면 3이므로 693입니다.

2일차 플러스 계산 연습 12~13쪽

1 336, 삼백삼십육 **2** 217, 이백십칠
3 453, 사백오십삼 **4** 609, 육백구
5 491 **6** 738
7 604 **8** 391
9 227 **10** 313
11 573 **12** 464
13 987 **14** 836
15 742 **16** 693

3 백 모형 4개, 십 모형 5개, 일 모형 3개이므로 453이라 쓰고, 453은 사백오십삼이라고 읽습니다.

4 백 모형 6개, 일 모형 9개이므로 609라 쓰고, 609는 육백구라고 읽습니다.

3일차 기초 계산 연습 14~15쪽

❶ 50, 4 ; 50, 4 ❷ 20, 5 ; 20, 5
❸ 30, 8 ; 30, 8 ❹ 70, 1 ; 70, 1
❺ 70 ❻ 400
❼ 8 ❽ 20
❾ 800 ❿ 3
⓫ 60 ⓬ 400
⓭ 400, 50, 6 ⓮ 200, 30, 7
⓯ 600, 80, 3 ⓰ 700, 50, 1

❶ 100이 3개, 10이 5개, 1이 4개인 수 ➔ 354

❷ 100이 6개, 10이 2개, 1이 5개인 수 ➔ 625

❸ 100이 4개, 10이 3개, 1이 8개인 수 ➔ 438

❹ 100이 6개, 10이 7개, 1이 1개인 수 ➔ 671

❺ 274
└→십의 자리 숫자, 70

❻ 463
└→백의 자리 숫자, 400

❼ 198
└→일의 자리 숫자, 8

⓯ 6 8 3
→100이 6개 ➔ 600
→10이 8개 ➔ 80
→1이 3개 ➔ 3

⓰ 7 5 1
→100이 7개 ➔ 700
→10이 5개 ➔ 50
→1이 1개 ➔ 1

3 일차 플러스 계산 연습 16~17쪽

1 543에 ○표 **2** 912에 ○표
3 429에 ○표 **4** 324에 ○표
5 700, 7 **6** 60, 600
7 5, 50 **8** 640
9 531 **10** 475
11 143 **12** 864
13 791 **14** 256
15 378

5 736에서 7은 700을 나타냅니다.
257에서 7은 7을 나타냅니다.

6 367에서 6은 60을 나타냅니다.
612에서 6은 600을 나타냅니다.

8 [6][ ][ ]인 버스 번호를 찾습니다.

9 [ ][3][ ]인 버스 번호를 찾습니다.

10 [ ][ ][5]인 버스 번호를 찾습니다.

11 [1][ ][ ]인 버스 번호를 찾습니다.

12

백의 자리	십의 자리	일의 자리
8	6	4

➔ 864

13

백의 자리	십의 자리	일의 자리
7	9	1

➔ 791

14

백의 자리	십의 자리	일의 자리
2	5	6

➔ 256

15

백의 자리	십의 자리	일의 자리
3	7	8

➔ 378

4 일차 기초 계산 연습 18~19쪽

❶ 513, 613, 713, 813
❷ 554, 654, 754, 854, 954
❸ 547, 557, 567, 577
❹ 945, 955, 965, 975, 985
❺ 265, 266, 267, 268, 269
❻ 413, 414, 415, 416, 417
❼ 100 ❽ 10
❾ 1 ❿ 10
⓫ 100 ⓬ 1
⓭ 100 ⓮ 1
⓯ 10 ⓰ 100

❶ 100씩 뛰어서 세면 백의 자리 수가 1씩 커집니다.

❸ 10씩 뛰어서 세면 십의 자리 수가 1씩 커집니다.

❺ 1씩 뛰어서 세면 일의 자리 수가 1씩 커집니다.

❼ 백의 자리 수가 1씩 커지고 있으므로 100씩 뛰어서 센 것입니다.

❽ 십의 자리 수가 1씩 커지고 있으므로 10씩 뛰어서 센 것입니다.

❾ 일의 자리 수가 1씩 커지고 있으므로 1씩 뛰어서 센 것입니다.

4일차 플러스 계산 연습 20~21쪽

1 465, 665, 765, 865, 965
2 435, 535, 635, 735, 835
3 328, 348, 358, 368, 378
4 546, 566, 576, 586, 596
5 957 **6** 462
7 824 **8** 175
9 813 **10** 176
11 551 **12** 636
13 594 **14** 538

5 백의 자리 수가 1씩 커지므로 100씩 뛰어서 센 것입니다.
➔ 357－457－557－657－757－857－957
㉠

6 일의 자리 수가 1씩 커지므로 1씩 뛰어서 센 것입니다.
➔ 456－457－458－459－460－461－462
㉠

7 저금통에 돈이 224원 들어 있습니다.
224－324－424－524－624－724－824이므로
1번 2번 3번 4번 5번 6번
100원씩 6번 넣으면 모두 824원이 됩니다.

8 저금통에 돈이 135원 들어 있습니다.
135－145－155－165－175이므로
1번 2번 3번 4번
10원씩 4번 넣으면 모두 175원이 됩니다.

9 저금통에 돈이 313원 들어 있습니다.
313－413－513－613－713－813이므로
1번 2번 3번 4번 5번
100원씩 5번 넣으면 모두 813원이 됩니다.

10 저금통에 돈이 146원 들어 있습니다.
146－156－166－176이므로
1번 2번 3번
10원씩 3번 넣으면 모두 176원이 됩니다.

11 521－531－541－551
1번 2번 3번

12 236－336－436－536－636
1번 2번 3번 4번

13 524－534－544－554－564－574－584－594
1번 2번 3번 4번 5번 6번 7번

14 478－488－498－508－518－528－538
1번 2번 3번 4번 5번 6번

5일차 기초 계산 연습 22~23쪽

① > ② < ③ <
④ < ⑤ < ⑥ >
⑦ > ⑧ < ⑨ >
⑩ < ⑪ > ⑫ <
⑬ 675에 ○표
⑭ 621에 ○표
⑮ 927에 ○표
⑯ 432에 ○표
⑰ 758에 ○표
⑱ 684에 ○표
⑲ 536에 ○표, 156에 △표
⑳ 630에 ○표, 358에 △표
㉑ 805에 ○표, 632에 △표
㉒ 432에 ○표, 423에 △표
㉓ 597에 ○표, 504에 △표
㉔ 613에 ○표, 442에 △표

① 572 > 453 (5>4)
② 243 < 391 (2<3)
③ 638 < 656 (3<5)
④ 421 < 425 (1<5)
⑤ 851 < 857 (1<7)
⑥ 425 > 409 (2>0)
⑬ 671 < 675 (1<5)
⑭ 583 < 621 (5<6)
⑮ 927 > 923 (7>3)
⑯ 432 > 430 (2>0)
⑰ 758 > 753 (8>3)
⑱ 679 < 684 (7<8)
⑲ 156<245<536
⑳ 358<432<630
㉑ 632<637<805
㉒ 423<430<432
㉓ 504<561<597
㉔ 442<509<613

5 일차 플러스 계산 연습 24~25쪽

1 >	2 <
3 >	4 >
5 <	6 >
7 342, 375, 389	8 709, 731, 738
9 463, 467, 498	10 713, 745, 768
11 >	12 <
13 >	14 <
15 > ; 참외	16 > ; 축구공

1 백 모형이 많을수록 더 큰 수입니다.
324는 백 모형이 3개, 245는 백 모형이 2개이므로 324>245입니다.

3 768 > 646 (7>6)

4 492 > 461 (9>6)

7 342 < 375 < 389 (4<7, 7<8)

8 709 < 731 < 738 (0<3, 1<8)

9 463 < 467 < 498 (3<7, 6<9)

10 713 < 745 < 768 (1<4, 4<6)

11 615>480

12 530<845

13 985>925

14 480<530

평가 SPEED 연산력 TEST 26~27쪽

① 386	② 459
③ 415	④ 593
⑤ 703	⑥ 259
⑦ 7 ; 9 ; 4	⑧ 6 ; 2 ; 8
⑨ 4 ; 0 ; 7	⑩ 1 ; 7 ; 8
⑪ 8 ; 2 ; 9	⑫ 9 ; 3 ; 4
⑬ 359, 360, 361, 362	
⑭ 774, 784, 794, 804	
⑮ 513, 613, 713, 813	
⑯ >, >, >	⑰ >, <, >
⑱ <, >, >	⑲ >, >, <
⑳ <, >, <	

특강 문장제 문제 도전하기 28~29쪽

1 743 ; 743	2 394 ; 394
3 (○)( ) ; 사과	4 876
5 주스	6 다은

1 100이 7개이면 700, 10이 4개이면 40, 1이 3개이면 3이므로 743입니다.

100원짜리 동전 7개 ➔ 700원
10원짜리 동전 4개 ➔ 40원
1원짜리 동전 3개 ➔ 3원
743원

3 백의 자리 수를 비교합니다.
➔ 608 > 534 (6>5)

5 137<183이므로 주스가 더 많이 있습니다.

6 팔백육십칠 ➔ 867
872 > 867이므로 번호표의 수가 더 작은 다은이가 먼저 택배를 보낼 수 있습니다.

특강 창의·융합·코딩·도전하기 30~31쪽

융합 1 수야
창의 2 700 ; 90
창의 3 5, 3, 8

융합 1 154<157<162이므로 가장 작은 수가 적힌 번호표를 뽑은 친구가 가장 먼저 번호표를 뽑았으므로 수야입니다.

창의 2 795에서 7은 백의 자리 숫자이고 700을 나타냅니다. 9는 십의 자리 숫자이고 90을 나타내고 5는 일의 자리 숫자이고 5를 나타냅니다.

창의 3 백의 자리 숫자는 4보다 크고 6보다 작으므로 5이고 십의 자리 숫자는 30을 나타내므로 3이고, 일의 자리 숫자는 8을 나타내므로 8입니다.

개념 OX 퀴즈 정답

 ✕

2 덧셈

개념 OX 퀴즈

바르게 계산했으면 ○에, 틀리면 ✕에 ○표 하세요.

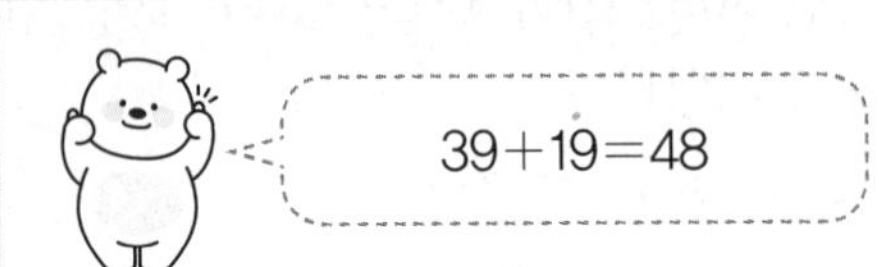

○　　✕

정답은 10쪽에서 확인하세요.

1일차 기초 계산 연습 34~35쪽

① 23　② 35　③ 44
④ 42　⑤ 52　⑥ 54
⑦ 91　⑧ 65　⑨ 73
⑩ 34　⑪ 83　⑫ 91
⑬ 74　⑭ 82　⑮ 61
⑯ 70　⑰ 65　⑱ 56

⑲ 43+9=52

$$\begin{array}{r} 43 \\ +\ \ 9 \\ \hline 52 \end{array}$$

⑳ 45+8=53

$$\begin{array}{r} 45 \\ +\ \ 8 \\ \hline 53 \end{array}$$

㉑ 57+5=62

$$\begin{array}{r} 57 \\ +\ \ 5 \\ \hline 62 \end{array}$$

㉒ 78+7=85

$$\begin{array}{r} 78 \\ +\ \ 7 \\ \hline 85 \end{array}$$

㉓ 63+8=71

$$\begin{array}{r} 63 \\ +\ \ 8 \\ \hline 71 \end{array}$$

㉔ 66+9=75

$$\begin{array}{r} 66 \\ +\ \ 9 \\ \hline 75 \end{array}$$

⑲

$$\begin{array}{r} {\scriptstyle 1}\ \ \\ 43 \\ +\ \ 9 \\ \hline 52 \end{array}$$

⑳

$$\begin{array}{r} {\scriptstyle 1}\ \ \\ 45 \\ +\ \ 8 \\ \hline 53 \end{array}$$

1일차 플러스 계산 연습 36~37쪽

1 24 ; 24　**2** 41 ; 43
3 33 ; 34　**4** 56 ; 53
5 41　**6** 53
7 46　**8** 64
9 75　**10** 84
11 71　**12** 61
13 82　**14** 82
15 6, 51　**16** 4, 31
17 46, 9, 55　**18** 48, 3, 51

5

$$\begin{array}{r} {\scriptstyle 1}\ \ \\ 35 \\ +\ \ 6 \\ \hline 41 \end{array}$$

6

$$\begin{array}{r} {\scriptstyle 1}\ \ \\ 48 \\ +\ \ 5 \\ \hline 53 \end{array}$$

9

$$\begin{array}{r} {\scriptstyle 1}\ \ \\ 67 \\ +\ \ 8 \\ \hline 75 \end{array}$$

10

$$\begin{array}{r} {\scriptstyle 1}\ \ \\ 75 \\ +\ \ 9 \\ \hline 84 \end{array}$$

2일차 기초 계산 연습 38~39쪽

① 73　② 57　③ 54
④ 45　⑤ 94　⑥ 30
⑦ 63　⑧ 52　⑨ 81
⑩ 80　⑪ 92　⑫ 47
⑬ 53　⑭ 61　⑮ 41
⑯ 75　⑰ 56　⑱ 61

⑲ 5+68=73

$$\begin{array}{r} 5 \\ +\ 68 \\ \hline 73 \end{array}$$

⑳ 8+46=54

$$\begin{array}{r} 8 \\ +\ 46 \\ \hline 54 \end{array}$$

㉑ 3+29=32

$$\begin{array}{r} 3 \\ +\ 29 \\ \hline 32 \end{array}$$

㉒ 9+76=85

$$\begin{array}{r} 9 \\ +\ 76 \\ \hline 85 \end{array}$$

㉓ 7+37=44

$$\begin{array}{r} 7 \\ +\ 37 \\ \hline 44 \end{array}$$

㉔ 8+48=56

$$\begin{array}{r} 8 \\ +\ 48 \\ \hline 56 \end{array}$$

2 일차 플러스 계산 연습 40~41쪽

1 22 ; 24	**2** 64 ; 45
3 52 ; 51	**4** 44 ; 64
5 64	**6** 45
7 56	**8** 41
9 51	**10** 67
11 36	**12** 41
13 45	**14** 33
15 43	**16** 35
17 55, 61	**18** 9, 66

3 $\begin{array}{r} {}_1 6 \\ +46 \\ \hline 52 \end{array}$, $\begin{array}{r} {}_1 7 \\ +44 \\ \hline 51 \end{array}$　　**4** $\begin{array}{r} {}_1 5 \\ +39 \\ \hline 44 \end{array}$, $\begin{array}{r} {}_1 7 \\ +57 \\ \hline 64 \end{array}$

11 7+29=36 (kg)　　**12** 5+36=41 (kg)

13 7+38=45 (kg)　　**14** 5+28=33 (kg)

15 6+37=43 (kg)　　**16** 6+29=35 (kg)

17 합은 두 수를 더합니다. ➔ 6+55=61

3 일차 기초 계산 연습 42~43쪽

❶ 83	❷ 81	❸ 95
❹ 61	❺ 74	❻ 71
❼ 94	❽ 93	❾ 47
❿ 63	⓫ 75	⓬ 56
⓭ 57	⓮ 84	⓯ 75
⓰ 67	⓱ 81	⓲ 82

⓳ 36+26=62　$\begin{array}{r} 36 \\ +26 \\ \hline 62 \end{array}$

⓴ 26+45=71　$\begin{array}{r} 26 \\ +45 \\ \hline 71 \end{array}$

㉑ 53+17=70　$\begin{array}{r} 53 \\ +17 \\ \hline 70 \end{array}$

㉒ 25+66=91　$\begin{array}{r} 25 \\ +66 \\ \hline 91 \end{array}$

㉓ 27+37=64　$\begin{array}{r} 27 \\ +37 \\ \hline 64 \end{array}$

㉔ 38+18=56　$\begin{array}{r} 38 \\ +18 \\ \hline 56 \end{array}$

3 일차 플러스 계산 연습 44~45쪽

1 75 ; 86	**2** 91 ; 94
3 81 ; 86	**4** 80 ; 82
5 62	**6** 71
7 73	**8** 76
9 83	**10** 85
11 63	**12** 81
13 36	**14** 96
15 83	**16** 82
17 19, 46	**18** 25, 63

19 16, 29, 45(또는 29, 16, 45)

20 28, 24, 52(또는 24, 28, 52)

17 (재우가 접은 종이학 수)
=(은우가 접은 종이학 수)+19
=27+19=46(개)

18 (은호가 접은 종이학 수)
=(수아가 접은 종이학 수)+25
=38+25=63(개)

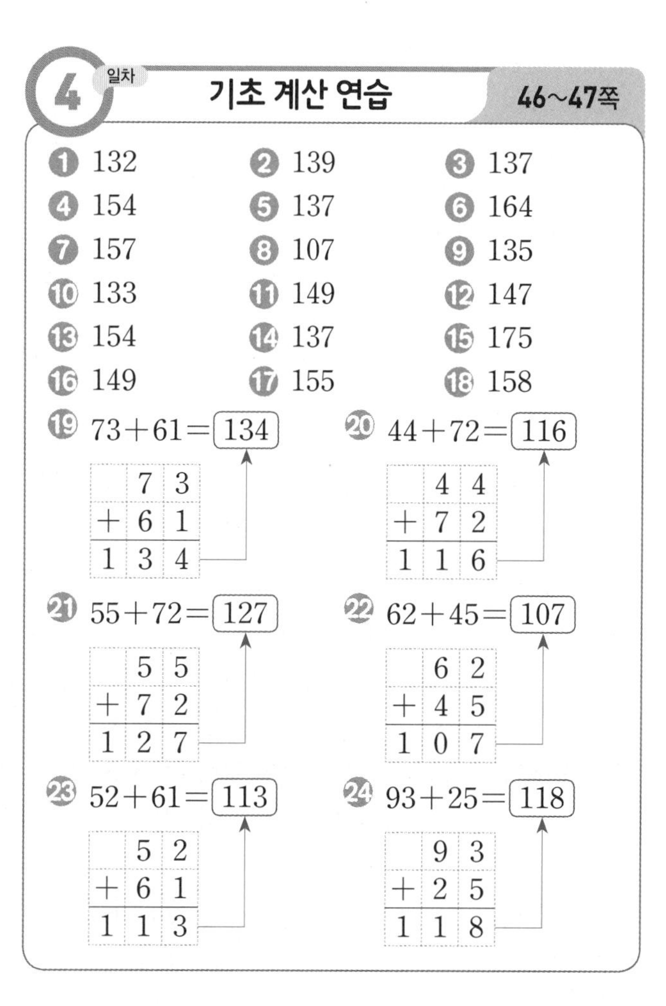

4 일차 기초 계산 연습 46~47쪽

❶ 132	❷ 139	❸ 137
❹ 154	❺ 137	❻ 164
❼ 157	❽ 107	❾ 135
❿ 133	⓫ 149	⓬ 147
⓭ 154	⓮ 137	⓯ 175
⓰ 149	⓱ 155	⓲ 158

⓳ 73+61=134　$\begin{array}{r} 73 \\ +61 \\ \hline 134 \end{array}$

⓴ 44+72=116　$\begin{array}{r} 44 \\ +72 \\ \hline 116 \end{array}$

㉑ 55+72=127　$\begin{array}{r} 55 \\ +72 \\ \hline 127 \end{array}$

㉒ 62+45=107　$\begin{array}{r} 62 \\ +45 \\ \hline 107 \end{array}$

㉓ 52+61=113　$\begin{array}{r} 52 \\ +61 \\ \hline 113 \end{array}$

㉔ 93+25=118　$\begin{array}{r} 93 \\ +25 \\ \hline 118 \end{array}$

4일차 플러스 계산 연습 48~49쪽

1 117 ; 108
2 157 ; 149
3 126 ; 119
4 125 ; 169
5 128
6 116
7 114
8 107
9 143
10 158
11 158
12 125
13 116
14 127
15 51, 143
16 74, 147
17 82, 133
18 64, 149

1 $\begin{array}{r} 23 \\ +94 \\ \hline 117 \end{array}$, $\begin{array}{r} 21 \\ +87 \\ \hline 108 \end{array}$

2 $\begin{array}{r} 65 \\ +92 \\ \hline 157 \end{array}$, $\begin{array}{r} 68 \\ +81 \\ \hline 149 \end{array}$

3 $\begin{array}{r} 95 \\ +31 \\ \hline 126 \end{array}$, $\begin{array}{r} 97 \\ +22 \\ \hline 119 \end{array}$

4 $\begin{array}{r} 74 \\ +51 \\ \hline 125 \end{array}$, $\begin{array}{r} 76 \\ +93 \\ \hline 169 \end{array}$

5 $\begin{array}{r} 43 \\ +85 \\ \hline 128 \end{array}$

6 $\begin{array}{r} 44 \\ +72 \\ \hline 116 \end{array}$

15 (사과의 수)=(복숭아의 수)+51
=92+51=143(개)

16 (오이의 수)=(참외의 수)+74
=73+74=147(개)

17 (진서의 구슬 수)=(하은이의 구슬 수)+51
=82+51=133(개)

18 (정우의 구슬 수)=(수진이의 구슬 수)+64
=85+64=149(개)

5일차 기초 계산 연습 50~51쪽

❶ 122 ❷ 111 ❸ 117
❹ 151 ❺ 145 ❻ 104
❼ 144 ❽ 153 ❾ 121
❿ 131 ⓫ 106 ⓬ 113
⓭ 146 ⓮ 122 ⓯ 123
⓰ 122 ⓱ 132 ⓲ 151

⓳ 76+47=123
$\begin{array}{r} 76 \\ +47 \\ \hline 123 \end{array}$

⓴ 83+49=132
$\begin{array}{r} 83 \\ +49 \\ \hline 132 \end{array}$

㉑ 75+59=134
$\begin{array}{r} 75 \\ +59 \\ \hline 134 \end{array}$

㉒ 49+87=136
$\begin{array}{r} 49 \\ +87 \\ \hline 136 \end{array}$

㉓ 85+57=142
$\begin{array}{r} 85 \\ +57 \\ \hline 142 \end{array}$

㉔ 87+69=156
$\begin{array}{r} 87 \\ +69 \\ \hline 156 \end{array}$

5일차 플러스 계산 연습 52~53쪽

1 160 **2** 125 **3** 143
4 143 **5** 164 **6** 137
7 143 **8** 157 **9** 175
10 154 **11** 151 **12** 120
13 121 **14** 123 **15** 141
16 147 ; 147 **17** 151 ; 151 **18** 154 ; 154

19 $\begin{array}{r} 73 \\ +69 \\ \hline 142 \end{array}$; 142

20 $\begin{array}{r} 69 \\ +58 \\ \hline 127 \end{array}$; 127

16 $\begin{array}{r} ^{1} \\ 79 \\ +68 \\ \hline 147 \end{array}$ (밭에 심은 배추의 수)+(더 심은 배추의 수)
=79+68=147(포기)

17 $\begin{array}{r} ^{1} \\ 56 \\ +95 \\ \hline 151 \end{array}$ (밭에 심은 배추의 수)+(더 심은 배추의 수)
=56+95=151(포기)

19 또는

	6	9
+	7	3
1	4	2

20 또는

	5	8
+	6	9
1	2	7

6일차 기초 계산 연습 54~55쪽

❶ 171	❷ 137	❸ 111
❹ 165	❺ 151	❻ 146
❼ 112	❽ 146	❾ 144
❿ 150	⓫ 161	⓬ 165
⓭ 121	⓮ 143	⓯ 126
⓰ 127	⓱ 181	⓲ 136
⓳ 153	⓴ 133	

❶ 가로셈으로 할 때도 받아올림한 수를 표시하면 잊지 않고 더할 수 있습니다.
$\overset{1}{9}5+76=171$

6일차 플러스 계산 연습 56~57쪽

1 135	**2** 145	**3** 144
4 170	**5** 115	**6** 144
7 180	**8** 122	**9** 115
10 115	**11** 162	**12** 125
13 76, 141	**14** 67, 116	**15** 125
16 132	**17** 94, 153	**18** 46, 121
19 56, 140	**20** 74, 132	

13 젖소 65마리, 돼지 76마리 ➔ $\overset{1}{6}5+76=141$(마리)

14 타조 67마리, 양 49마리 ➔ $\overset{1}{6}7+49=116$(마리)

15 돼지 76마리, 양 49마리 ➔ $\overset{1}{7}6+49=125$(마리)

16 젖소 65마리, 타조 67마리 ➔ $\overset{1}{6}5+67=132$(마리)

7일차 기초 계산 연습 58~59쪽

❶ 7, 7, 43	❷ 8, 8, 93
❸ 40, 94, 97	❹ 10, 85, 91
❺ 30, 57, 62	❻ 1, 60, 94
❼ 3, 50, 81	❽ 2, 50, 61
❾ 2, 30, 62	❿ 1, 70, 86
⓫ 12, 12, 82	⓬ 23, 23, 63

❶ 26에 10을 먼저 더한 후 7을 더합니다.

❷ 65에 20을 먼저 더한 후 8을 더합니다.

❸ 54에 40을 먼저 더한 후 3을 더합니다.

❹ 75에 10을 먼저 더한 후 6을 더합니다.

❺ 27에 30을 먼저 더한 후 5를 더합니다.

❻ 59+35

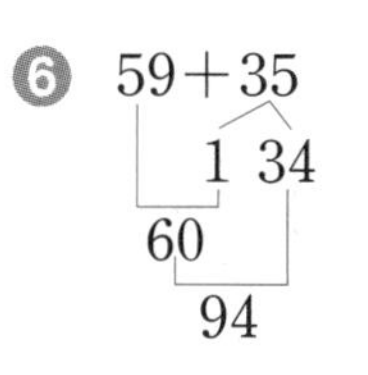

❼ 47+34 → 3 31, 50, 81

❽ 48+13 → 2 11, 50, 61

❾ 28+34 → 2 32, 30, 62

❿ 69+17 → 1 16, 70, 86

⓫ 67+15 → 3 12, 70, 82

7일차 플러스 계산 연습 60~61쪽

1 40, 69, 74　　**2** 20, 56, 63

3 20, 67, 75　　**4** 30, 88, 94

5 1, 70, 81　　**6** 2, 80, 97

7 3, 60, 70　　**8** 2, 70, 81

9 방법 1 예 $28+34=28+30+4$
$=58+4=62$

방법 2 예 $28+34=28+2+32$
$=30+32=62$

10 방법 1 예 $48+33=48+30+3$
$=78+3=81$

방법 2 예 $48+33=48+2+31$
$=50+31=81$

11 20, 3, 82　　**12** 10, 6, 73

13 3, 11, 81　　**14** 2, 13, 83

1 29에 40을 먼저 더한 후 그 결과에 5를 더합니다.

2 36에 20을 먼저 더한 후 그 결과에 7을 더합니다.

3 47에 20을 먼저 더한 후 그 결과에 8을 더합니다.

4 58에 30을 먼저 더한 후 그 결과에 6을 더합니다.

5 69에 1을 더해 70을 만든 후 11을 더합니다.

6 78에 2를 더해 80을 만든 후 17을 더합니다.

7 57에 3을 더해 60을 만든 후 10을 더합니다.

8 68에 2를 더해 70을 만든 후 11을 더합니다.

11 $59+23=59+20+3=79+3=82$

12 $57+16=59+10+6=67+6=73$

13 $67+14=67+3+11=70+11=81$

14 $68+15=68+2+13=70+13=83$

8 일차 기초 계산 연습 62~63쪽

❶ 20, 80, 91 ❷ 8, 12, 72
❸ 6, 15, 85 ❹ 30, 50, 62
❺ 20, 70, 81 ❻ 3, 50, 74
❼ 2, 30, 43 ❽ 3, 30, 71
❾ 2, 50, 74 ❿ 1, 39, 40, 52
⓫ 21, 40, 61 ⓬ 3, 50, 73

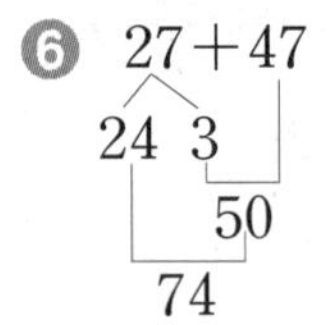

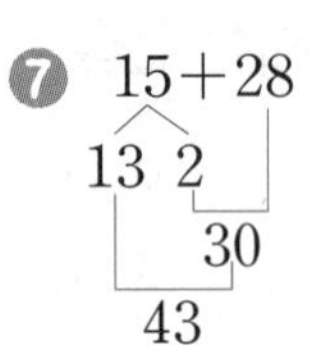

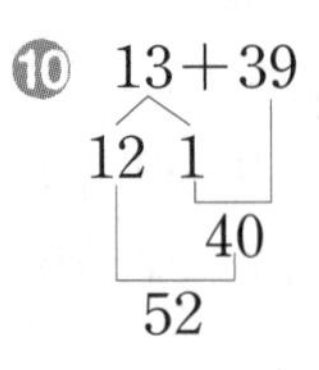

8 일차 플러스 계산 연습 64~65쪽

1 40, 70, 84 2 20, 60, 72
3 20, 70, 84 4 20, 80, 93
5 1, 20, 81 6 1, 20, 94
7 3, 20, 70 8 2, 30, 101

9 방법 1 예 $23+39=22+1+39$
$=22+40=62$
방법 2 예 $23+39=20+30+3+9$
$=50+12=62$

10 방법 1 예 $53+38=51+2+38$
$=51+40=91$
방법 2 예 $53+38=50+30+3+8$
$=80+11=91$

11 30, 5, 12, 82 12 40, 5, 11, 71
13 3, 67, 70, 81 14 3, 57, 60, 73

평가 SPEED 연산력 TEST 66~67쪽

❶ 83 ❷ 34 ❸ 41
❹ 44 ❺ 74 ❻ 27
❼ 61 ❽ 104 ❾ 118
❿ 128 ⓫ 169 ⓬ 123
⓭ 94 ⓮ 81 ⓯ 53
⓰ 137 ⓱ 142 ⓲ 143
⓳ 140 ⓴ 151

특강 문장제 문제 도전하기 68~69쪽

1 108 ; 92, 16, 108 ; 108
2 117 ; 84, 33, 117 ; 117
3 150 ; 86, 64, 150 ; 150
4 36, 27, 63(또는 27, 36, 63)
5 35, 46, 81(또는 46, 35, 81)
6 29, 34, 63(또는 34, 29, 63)

특강 창의·융합·코딩·도전하기 70~71쪽

창의 1 31, 42, 33 ; 초록

창의 2 (1) $\begin{array}{r} 17 \\ +27 \\ \hline 34 \end{array}$ 에 ×표 (2) $\begin{array}{r} 57 \\ +34 \\ \hline 81 \end{array}$ 에 ×표
(3) $\begin{array}{r} 16 \\ +57 \\ \hline 63 \end{array}$ 에 ×표

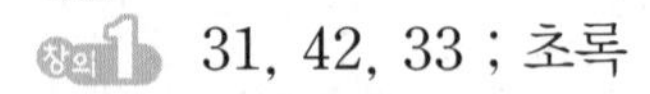

창의 1 수야: $\begin{array}{r} {}^{1}\ \ \\ 26 \\ +\ 5 \\ \hline 31 \end{array}$ 초록: $\begin{array}{r} {}^{1}\ \ \\ 27 \\ +15 \\ \hline 42 \end{array}$ 토토: $\begin{array}{r} {}^{1}\ \ \\ 28 \\ +\ 5 \\ \hline 33 \end{array}$

창의 2 (1) $\begin{array}{r} {}^{1}\ \ \\ 17 \\ +27 \\ \hline 44 \end{array}$ (2) $\begin{array}{r} {}^{1}\ \ \\ 57 \\ +34 \\ \hline 91 \end{array}$ (3) $\begin{array}{r} {}^{1}\ \ \\ 16 \\ +57 \\ \hline 73 \end{array}$

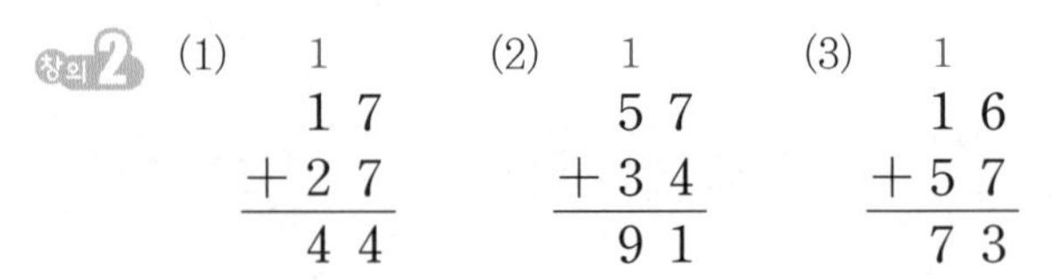

○ 

$39+19=58$이므로 틀렸습니다.

3 뺄셈

개념 OX 퀴즈

계산이 맞으면 ○에, 틀리면 ✕에 ○표 하세요.

54−25=39

정답은 14쪽에서 확인하세요.

1일차 기초 계산 연습 74~75쪽

❶ 23	❷ 19	❸ 35
❹ 46	❺ 58	❻ 72
❼ 86	❽ 67	❾ 48
❿ 26	⓫ 26	⓬ 14
⓭ 17	⓮ 36	⓯ 35
⓰ 47	⓱ 46	⓲ 74

⓳ 62−7=55 $\begin{array}{r} 6\,2 \\ -\ \ 7 \\ \hline 5\,5 \end{array}$

⓴ 66−8=58 $\begin{array}{r} 6\,6 \\ -\ \ 8 \\ \hline 5\,8 \end{array}$

㉑ 64−5=59 $\begin{array}{r} 6\,4 \\ -\ \ 5 \\ \hline 5\,9 \end{array}$

㉒ 71−3=68 $\begin{array}{r} 7\,1 \\ -\ \ 3 \\ \hline 6\,8 \end{array}$

㉓ 73−4=69 $\begin{array}{r} 7\,3 \\ -\ \ 4 \\ \hline 6\,9 \end{array}$

㉔ 76−8=68 $\begin{array}{r} 7\,6 \\ -\ \ 8 \\ \hline 6\,8 \end{array}$

1일차 플러스 계산 연습 76~77쪽

1 47, 45 **2** 33, 38
3 15, 17 **4** 79, 75
5 (위부터) 27, 17, 28 **6** (위부터) 38, 23, 35
7 (위부터) 29, 33, 25 **8** (위부터) 46, 64, 44
9 24 **10** 32
11 45 **12** 55
13 15 **14** 36, 8, 28
15 21, 7, 14 **16** 31, 4, 27

7 $\begin{array}{r} {}^{2\ 10} \\ \cancel{3}\,4 \\ -\ \ 5 \\ \hline 2\,9 \end{array}$, $\begin{array}{r} {}^{3\ 10} \\ \cancel{4}\,2 \\ -\ \ 9 \\ \hline 3\,3 \end{array}$, $\begin{array}{r} {}^{2\ 10} \\ \cancel{3}\,4 \\ -\ \ 9 \\ \hline 2\,5 \end{array}$

8 $\begin{array}{r} {}^{4\ 10} \\ \cancel{5}\,3 \\ -\ \ 7 \\ \hline 4\,6 \end{array}$, $\begin{array}{r} {}^{6\ 10} \\ \cancel{7}\,3 \\ -\ \ 9 \\ \hline 6\,4 \end{array}$, $\begin{array}{r} {}^{4\ 10} \\ \cancel{5}\,3 \\ -\ \ 9 \\ \hline 4\,4 \end{array}$

2일차 기초 계산 연습 78~79쪽

❶ 17	❷ 4	❸ 36
❹ 25	❺ 29	❻ 28
❼ 23	❽ 32	❾ 31
❿ 17	⓫ 24	⓬ 38
⓭ 33	⓮ 44	⓯ 31
⓰ 43	⓱ 31	⓲ 45
⓳ 66	⓴ 37	㉑ 63
㉒ 39	㉓ 72	㉔ 41

2일차 플러스 계산 연습 80~81쪽

1 16, 35 **2** 21, 22
3 11, 21 **4** 52, 42
5 23 **6** 37
7 43 **8** 23
9 54 **10** 23
11 31 **12** 42
13 70, 19, 51 **14** 50, 28, 22
15 12 **16** 90, 59, 31
17 50, 17, 33 **18** 30, 16, 14

1 $\begin{array}{r} {}^{3\ 10} \\ \cancel{4}\,0 \\ -\,2\,4 \\ \hline 1\,6 \end{array}$, $\begin{array}{r} {}^{4\ 10} \\ \cancel{5}\,0 \\ -\,1\,5 \\ \hline 3\,5 \end{array}$

2 $\begin{array}{r} {}^{4\ 10} \\ \cancel{5}\,0 \\ -\,2\,9 \\ \hline 2\,1 \end{array}$, $\begin{array}{r} {}^{5\ 10} \\ \cancel{6}\,0 \\ -\,3\,8 \\ \hline 2\,2 \end{array}$

3 $\begin{array}{r} {}^{2\ 10} \\ \cancel{3}\,0 \\ -\,1\,9 \\ \hline 1\,1 \end{array}$, $\begin{array}{r} {}^{3\ 10} \\ \cancel{4}\,0 \\ -\,1\,9 \\ \hline 2\,1 \end{array}$

4 $\begin{array}{r} {}^{6\ 10} \\ \cancel{7}\,0 \\ -\,1\,8 \\ \hline 5\,2 \end{array}$, $\begin{array}{r} {}^{5\ 10} \\ \cancel{6}\,0 \\ -\,1\,8 \\ \hline 4\,2 \end{array}$

3일차 기초 계산 연습 82~83쪽

❶ 18 ❷ 26 ❸ 15
❹ 46 ❺ 25 ❻ 34
❼ 47 ❽ 44 ❾ 45
❿ 68 ⓫ 24 ⓬ 13
⓭ 39 ⓮ 35 ⓯ 35
⓰ 35 ⓱ 29 ⓲ 27
⓳ 16 ⓴ 55 ㉑ 69
㉒ 49 ㉓ 63 ㉔ 76

3일차 플러스 계산 연습 84~85쪽

1 28 **2** 17
3 34 **4** 27
5 29 **6** 19
7 25 **8** 19
9 29 **10** 38
11 17 **12** 29
13 27 **14** 34
15 37 **16** 56, 33
17 26, 59 **18** 48, 39
19 14, 27

20 $\begin{array}{r} 41 \\ -13 \\ \hline 28 \end{array}$, 28

21 $\begin{array}{r} 33 \\ -17 \\ \hline 16 \end{array}$, 16

1 $\begin{array}{r} \overset{3}{\cancel{4}}\overset{10}{3} \\ -15 \\ \hline 28 \end{array}$ **2** $\begin{array}{r} \overset{3}{\cancel{4}}\overset{10}{4} \\ -27 \\ \hline 17 \end{array}$ **3** $\begin{array}{r} \overset{4}{\cancel{5}}\overset{10}{2} \\ -18 \\ \hline 34 \end{array}$

4 $\begin{array}{r} \overset{4}{\cancel{5}}\overset{10}{6} \\ -29 \\ \hline 27 \end{array}$ **5** $\begin{array}{r} \overset{5}{\cancel{6}}\overset{10}{4} \\ -35 \\ \hline 29 \end{array}$ **6** $\begin{array}{r} \overset{5}{\cancel{6}}\overset{10}{7} \\ -48 \\ \hline 19 \end{array}$

16 61−28=33, 84−28=56

17 76−17=59, 43−17=26

18 82−43=39, 91−43=48

19 64−37=27, 51−37=14

4일차 기초 계산 연습 86~87쪽

❶ 19 ❷ 38 ❸ 26
❹ 37 ❺ 53 ❻ 18
❼ 37 ❽ 15 ❾ 27
❿ 48 ⓫ 19 ⓬ 57
⓭ 36 ⓮ 43 ⓯ 18
⓰ 38 ⓱ 45 ⓲ 25
⓳ 34 ⓴ 26 ㉑ 63
㉒ 55 ㉓ 35 ㉔ 39
㉕ 36 ㉖ 38 ㉗ 45
㉘ 38

4일차 플러스 계산 연습 88~89쪽

1 59, 55 **2** 54, 47
3 17, 14 **4** 19, 28
5 22 **6** 25
7 36 **8** 48
9 49 **10** 37
11 59 **12** 38
13 14 **14** 28
15 63, 28 **16** 38, 44
17 53, 36, 17 **18** 65, 47, 18

8 $\begin{array}{r} \overset{6}{\cancel{7}}\overset{10}{4} \\ -26 \\ \hline 48 \end{array}$ **9** $\begin{array}{r} \overset{8}{\cancel{9}}\overset{10}{4} \\ -45 \\ \hline 49 \end{array}$ **10** $\begin{array}{r} \overset{8}{\cancel{9}}\overset{10}{5} \\ -58 \\ \hline 37 \end{array}$

12 74−36=38(개)

13 63−49=14(개)

14 85−57=28(개)

15 (사과의 수)−(감의 수)
=91−63=28(개)

16 (자두의 수)−(망고의 수)
=82−38=44(개)

17 (빨간색 구슬 수)−(초록색 구슬 수)
=53−36=17(개)

18 (분홍색 구슬 수)−(보라색 구슬 수)
=65−47=18(개)

5 일차 기초 계산 연습 90~91쪽

❶ 6, 6, 39	❷ 9, 9, 13
❸ 40, 41, 34	❹ 20, 23, 15
❺ 30, 32, 28	❻ 70, 53, 56
❼ 70, 36, 37	❽ 70, 32, 35
❾ 7, 7, 38	❿ 2, 2, 55
⓫ 58, 22, 27	⓬ 26, 34, 37

❶ 75에서 30을 먼저 뺀 후 6을 뺍니다.

❷ 72에서 50을 먼저 뺀 후 9를 뺍니다.

❸ 81에서 40을 먼저 뺀 후 7을 뺍니다.

❹ 43에서 20을 먼저 뺀 후 8을 뺍니다.

❺ 62에서 30을 먼저 뺀 후 4를 뺍니다.

❻ 70에서 17을 뺀 후 3을 더합니다.

❼ 70에서 34를 뺀 후 1을 더합니다.

❽ 70에서 38을 뺀 후 3을 더합니다.

❾ 60에서 29를 뺀 후 7을 더합니다.

❿ 80에서 27을 뺀 후 2를 더합니다.

⓫ 80에서 58을 뺀 후 5를 더합니다.

⓬ 60에서 26을 뺀 후 3을 더합니다.

5 일차 플러스 계산 연습 92~93쪽

1 20, 66, 57 **2** 30, 27, 19
3 20, 54, 46 **4** 20, 58, 49
5 60, 41, 43 **6** 67, 13, 18
7 18, 32, 35 **8** 28, 32, 35

9 방법 1 예 $82-24=82-20-4$
$=62-4=58$
방법 2 예 $82-24=80-24+2$
$=56+2=58$

10 방법 1 예 $61-42=61-40-2$
$=21-2=19$
방법 2 예 $61-42=60-42+1$
$=18+1=19$

11 40, 9, 24 **12** 10, 8, 45
13 17, 39 **14** 26, 4, 58

1 86에서 20을 먼저 뺀 후 9를 뺍니다.

2 57에서 30을 먼저 뺀 후 8을 뺍니다.

3 74에서 20을 먼저 뺀 후 8을 뺍니다.

4 78에서 20을 먼저 뺀 후 9를 뺍니다.

5 $62=60+2$이므로 $60-19$를 계산한 후 2를 더합니다.

6 $85=80+5$이므로 $80-67$을 계산한 후 5를 더합니다.

7 $53=50+3$이므로 $50-18$을 계산한 후 3을 더합니다.

8 $63=60+3$이므로 $60-28$을 계산한 후 3을 더합니다.

11 $73-49=73-40-9$
$=33-9=24$

12 $63-18=63-10-8$
$=53-8=45$

13 $56-17=50-17+6$
$=33+6=39$

14 $84-26=80-26+4$
$=54+4=58$

6 일차 기초 계산 연습 94~95쪽

❶ 3, 3, 36	❷ 1, 1, 33
❸ 30, 45, 47	❹ 40, 24, 25
❺ 60, 21, 24	❻ 22, 70, 22, 48
❼ 12, 12, 38	❽ 11, 70, 11, 59
❾ 33, 70, 33, 37	❿ 32, 70, 32, 38
⓫ 43, 80, 43, 37	⓬ 51, 80, 51, 29

❶ 63에서 30을 뺀 후 3을 더합니다.

❷ 52에서 20을 뺀 후 1을 더합니다.

❻ 76에서 6을 먼저 뺀 후 22를 뺍니다.

❼ 55에서 5를 먼저 뺀 후 12를 뺍니다.

❽ 75에서 5를 먼저 뺀 후 11을 뺍니다.

6 일차 플러스 계산 연습 96~97쪽

1 30, 34, 35
2 3, 25, 28
3 2, 36, 38
4 50, 25, 28
5 27, 60, 33
6 3, 70, 54
7 3, 24, 60, 36
8 3, 23, 70, 47
9 방법 1 예 $92-65=92-70+5$
$=22+5=27$
방법 2 예 $92-65=92-2-63$
$=90-63=27$
10 방법 1 예 $91-58=91-60+2$
$=31+2=33$
방법 2 예 $91-58=91-1-57$
$=90-57=33$
11 1, 22, 18
12 14, 36
13 20, 3, 45
14 30, 4, 55

1 64에서 30을 뺀 후 1을 더합니다.

2 45에서 20을 뺀 후 3을 더합니다.

5 62에서 2를 먼저 뺀 후 27을 뺍니다.

6 73에서 3을 먼저 뺀 후 16을 뺍니다.

12 $53-17=53-3-14$
$=50-14=36$

13 $62-17=62-20+3$
$=42+3=45$

14 $81-26=81-30+4$
$=51+4=55$

평가 SPEED 연산력 TEST 98~99쪽

❶ 33 ❷ 48 ❸ 28
❹ 51 ❺ 4 ❻ 43
❼ 18 ❽ 38 ❾ 33
❿ 29 ⓫ 29 ⓬ 39
⓭ 47 ⓮ 34 ⓯ 29
⓰ 24 ⓱ 21 ⓲ 25
⓳ 36 ⓴ 17 ㉑ 56
㉒ 68 ㉓ 23 ㉔ 38
㉕ 28

특강 문장제 문제 도전하기 100~101쪽

1 15 ; 22, 7, 15 ; 15
2 16 ; 30, 14, 16 ; 16
3 26 ; 43, 17, 26 ; 26
4 $84-69=15$; 15
5 $63-16=47$; 47
6 $92-63=29$; 29

1 (남은 사탕의 수)
=(전체 사탕의 수)−(먹은 사탕의 수)
$=22-7=15$(개)

4 (운동장에 남아 있는 사람 수)
=(운동장에 있던 사람 수)−(교실로 들어간 사람 수)
$=84-69=15$(명)

5 $63-16=47$(개)

6 $92>72>63$
➜ (가장 많이 한 사람의 횟수)
−(가장 적게 한 사람의 횟수)
$=92-63=29$(회)

특강 창의·융합·코딩·도전하기 102~103쪽

창의 1 27, 36, 39 ; 야구
창의 2 (위부터) 35, 19, 43
코딩 3 7

창의 1 $56-29=27$, $52-16=36$, $73-34=39$이므로 계산 결과가 가장 큰 것은 39이고 정국이는 야구 경기를 보고 싶어 하므로 야구 경기를 보게 됩니다.

창의 2 $51-16=$(35), $35-16=$(19)
$35-8=27$, $35+8=$(43)
$51-8=$(43), $51+8=59$
➜ 남은 빈칸에 43을 써넣습니다.

코딩 3 로봇이 지나온 칸에 쓰여 있는 수: 24, 17
로봇에 표시된 수: $24-17=7$

개념 OX 퀴즈 정답

$54-25=29$입니다. 받아내림에 주의해서 계산합니다.

4 덧셈과 뺄셈

개념 ○✕ 퀴즈

계산이 바르면 ○에, 틀리면 ✕에 ○표 하세요.

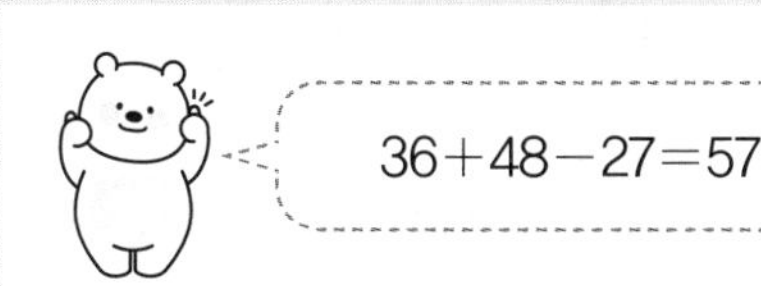

36+48−27=57

○ 

정답은 20쪽에서 확인하세요.

1 일차 기초 계산 연습 106~107쪽

① 18, 36 ; 54, 18
② 9, 27 ; 9, 27
③ 14, 53 ; 14, 53
④ 47 ; 47
⑤ 48 ; 25
⑥ 16 ; 74, 16
⑦ 39 ; 53, 14
⑧ 53 ; 25
⑨ 34 ; 34
⑩ 24 ; 24, 83
⑪ 46 ; 46, 25

① ●+▲=■ → ■−●=▲, ■−▲=●

② ●−▲=■ → ■+▲=●, ▲+■=●

④ 덧셈식 36+47=83은 뺄셈식 83−36=47, 83−47=36으로 나타낼 수 있습니다.

⑧ 뺄셈식 53−28=25는 덧셈식 25+28=53, 28+25=53으로 나타낼 수 있습니다.

⑨ 뺄셈식 71−34=37은 덧셈식 37+34=71, 34+37=71로 나타낼 수 있습니다.

⑩ 뺄셈식 83−24=59는 덧셈식 59+24=83, 24+59=83으로 나타낼 수 있습니다.

⑪ 뺄셈식 71−46=25는 덧셈식 25+46=71, 46+25=71로 나타낼 수 있습니다.

1 일차 플러스 계산 연습 108~109쪽

1 23 ; 49, 23
2 33 ; 48, 33
3 27 ; 27, 65
4 25 ; 25, 72
5 44−29=15 ; 44−15=29
6 71−26=45 ; 71−45=26
7 35+47=82 ; 47+35=82
8 34+28=62 ; 28+34=62
9 17 ; 9 ; 9, 8
10 9, 21 ; 12, 9 ; 21, 9, 12
11 8, 21 ; 13, 8 ; 21, 8, 13
12 ㊎ 27, 59 ; 27, 59
13 ㊎ 18, 46, 64 ; 64, 18, 46

9 • (전체 사탕 수)−(포도맛 사탕 수) =(사과맛 사탕 수)
• (전체 사탕 수)−(사과맛 사탕 수) =(포도맛 사탕 수)

12 수 카드를 사용하여 만들 수 있는 덧셈식은 27+59=86, 59+27=86이고 뺄셈식은 86−27=59, 86−59=27입니다.

13 수 카드를 사용하여 만들 수 있는 덧셈식은 18+46=64, 46+18=64이고 뺄셈식은 64−18=46, 64−46=18입니다.

2 일차 기초 계산 연습 110~111쪽

① 33
② 48
③ 47, 24
④ 93, 27
⑤ 53, 29
⑥ 86, 39
⑦ 61, 43
⑧ 81, 37
⑨ 73, 28
⑩ 93, 36
⑪ 96, 58, 38
⑫ 82, 36, 46
⑬ 93, 49, 44
⑭ 81, 43, 38
⑮ 62, 24, 38
⑯ 62, 17, 45

① 덧셈식을 뺄셈식으로 바꾸어 ●의 값을 구합니다.
19+●=52 → 52−19=●, ●=33

② ●+34=82 → 82−34=●, ●=48

③ 47+●=71 → 71−47=●, ●=24

⑧ ●+44=81 → 81−44=●, ●=37

⑨ 45+●=73 → 73−45=●, ●=28

⑭ ●+43=81 → 81−43=●, ●=38

⑮ 24+●=62 → 62−24=●, ●=38

⑯ ●+17=62 → 62−17=●, ●=45

2 일차 플러스 계산 연습 112~113쪽

1 □+25=54 ; 29
2 22+□=61 ; 39
3 25
4 25
5 26
6 26
7 24
8 48
9 37
10 24
11 15+□=43 ; 28
12 14+□=51 ; 37
13 □+27=42 ; 15
14 □+13=32 ; 19
15 18, 24 ; 6
16 29, 45 ; 16
17 26+■=75 ; 49
18 ■+36=61 ; 25

6 □+37=63 → 63−37=□, □=26

7 27+□=51 → 51−27=□, □=24

8 □+34=82 → 82−34=□, □=48

9 46+□=83 → 83−46=□, □=37

10 □+39=63 → 63−39=□, □=24

11 15+□=43 → 43−15=□, □=28

12 14+□=51 → 51−14=□, □=37

13 □+27=42 → 42−27=□, □=15

14 □+13=32 → 32−13=□, □=19

15 18+■=24 → 24−18=■, ■=6

16 ■+29=45 → 45−29=■, ■=16

17 26+■=75 → 75−26=■, ■=49

18 ■+36=61 → 61−36=■, ■=25

3 일차 기초 계산 연습 114~115쪽

① 15
② 46
③ 95, 29
④ 48, 81
⑤ 72, 27
⑥ 16, 71
⑦ 54, 16, 38
⑧ 27, 76
⑨ 85, 69, 16
⑩ 45, 83
⑪ 73, 17, 56
⑫ 15, 67, 82(또는 67, 15, 82)
⑬ 80, 24, 56
⑭ 13, 48, 61(또는 48, 13, 61)
⑮ 43, 15, 28
⑯ 29, 53, 82(또는 53, 29, 82)

⑦ 54−●=16 → 54−16=●, ●=38

⑧ ●−27=49 → 49+27=●, ●=76

⑨ 85−●=69 → 85−69=●, ●=16

⑩ ●−45=38 → 38+45=●, ●=83

⑪ 73−●=17 → 73−17=●, ●=56

⑫ ●−67=15 → 15+67=●, ●=82

⑬ 80−●=24 → 80−24=●, ●=56

⑭ ●−48=13 → 13+48=●, ●=61

⑮ 43−●=15 → 43−15=●, ●=28

⑯ ●−53=29 → 29+53=●, ●=82

3 일차 플러스 계산 연습 116~117쪽

1 51−□=22 ; 29
2 □−25=37 ; 62
3 9
4 55
5 27
6 92
7 39
8 72
9 52
10 82
11 24−□=18 ; 6
12 15−□=6 ; 9
13 36−□=19 ; 17
14 86, 59 ; 27
15 46, 15 ; 61
16 84−■=46 ; 38
17 ■−37=24 ; 61

5 45−□=18 → 45−18=□, □=27

6 □−55=37 → 37+55=□, □=92

7 $52-\square=13$ ➡ $52-13=\square$, $\square=39$

8 $\square-46=26$ ➡ $26+46=\square$, $\square=72$

9 $81-\square=29$ ➡ $81-29=\square$, $\square=52$

10 $\square-37=45$ ➡ $45+37=\square$, $\square=82$

11 $24-\square=18$ ➡ $24-18=\square$, $\square=6$

12 $15-\square=6$ ➡ $15-6=\square$, $\square=9$

13 $36-\square=19$ ➡ $36-19=\square$, $\square=17$

4일차 기초 계산 연습 118~119쪽

❶ $16+15+54=85$
31
85

❷ $19+6+27=52$
25
52

❸ $27+16+48=91$
43
91

❹ $37+9+15=61$
46
61

❺ $45+27+8=80$
35
80

❻ $18+32+28=78$
60
78

❼ 83 ❽ 63 ❾ 88
❿ 60 ⓫ 69 ⓬ 59
⓭ 69 ⓮ 80 ⓯ 54
⓰ 79 ⓱ 85 ⓲ 77

❼ $14+15+54=83$
29
83

❽ $18+6+39=63$
24
63

❾ $27+15+46=88$
42
88

❿ $36+9+15=60$
45
60

⓫ $26+34+9=69$
60
69

⓬ $14+37+8=59$
51
59

⓭ $38+14+17=69$
52
69

⓮ $21+46+13=80$
67
80

⓯ $18+31+5=54$
49
54

⓰ $28+34+17=79$
62
79

4일차 플러스 계산 연습 120~121쪽

1 $27+15+43=85$
$27+15=42$, $42+43=85$

2 $16+24+35=75$
$16+24=40$, $40+35=75$

3 $38+26+13=77$
$38+26=64$, $64+13=77$

4 $47+18+26=91$
$47+18=65$, $65+26=91$

5 59 6 92 7 73
8 91 9 71 10 75
11 63 12 79 13 9, 60
14 8, 39, 73

8 $58+19+14=77+14=91$

9 $37+15+19=52+19=71$(상자)

10 $16+35+24=51+24=75$(상자)

11 $29+18+16=47+16=63$(상자)

12 $42+18+19=60+19=79$(상자)

13 감자, 양파, 당근의 수를 모두 더합니다.
➡ $34+17+9=51+9=60$(개)

5일차 기초 계산 연습 122~123쪽

❶ 33－8－19＝6

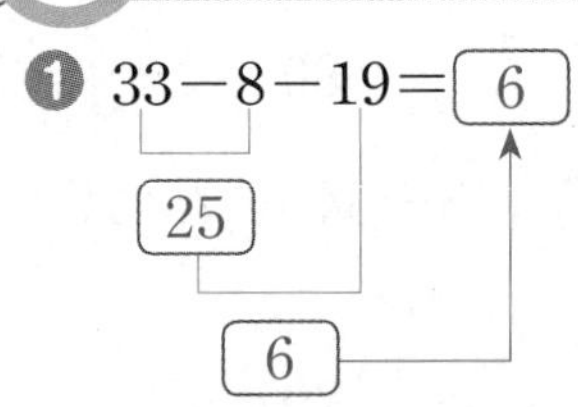

25, 6

❷ 46－9－18＝19

37, 19

❸ 51－17－27＝7

34, 7

❹ 82－25－29＝28

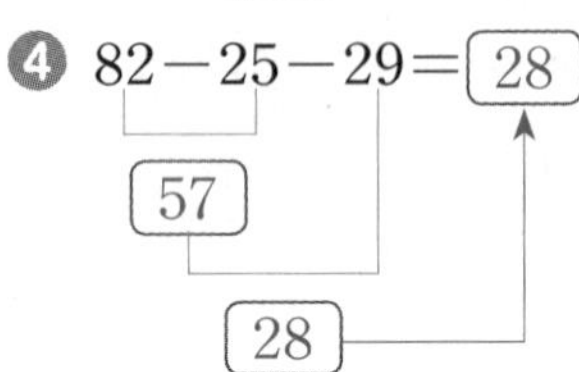

57, 28

❺ 77－4－36＝37

73, 37

❻ 97－18－46＝33

79, 33

❼ 20	❽ 18	❾ 29
❿ 18	⓫ 20	⓬ 18
⓭ 11	⓮ 16	⓯ 42
⓰ 26	⓱ 26	⓲ 53

⓱ 67－5－36＝26 (62, 26)

⓲ 91－23－15＝53 (68, 53)

5일차 플러스 계산 연습 124~125쪽

1 72－25－32＝15

$$\begin{array}{r} 72 \\ -25 \\ \hline 47 \end{array} \quad \begin{array}{r} 47 \\ -32 \\ \hline 15 \end{array}$$

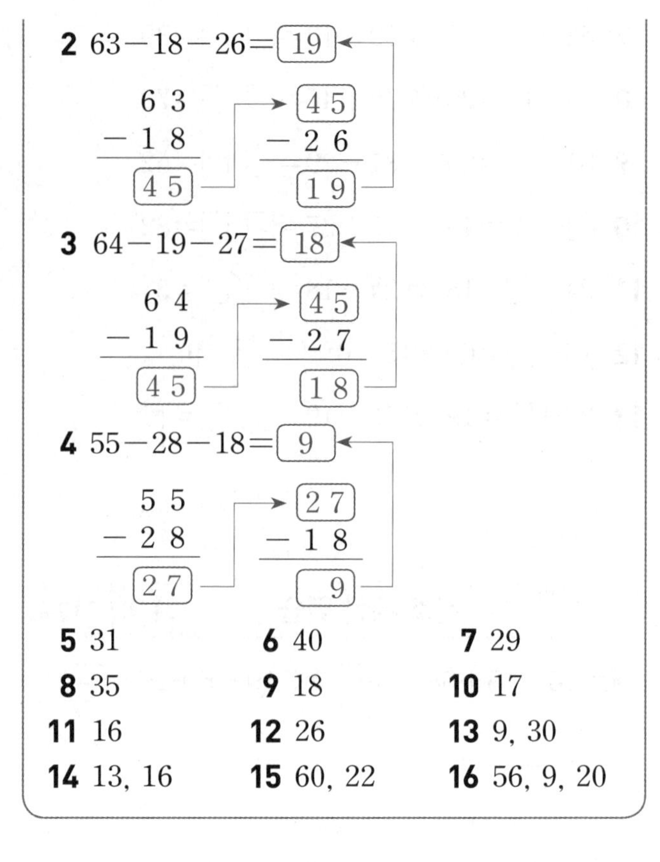

2 63－18－26＝19

$$\begin{array}{r} 63 \\ -18 \\ \hline 45 \end{array} \quad \begin{array}{r} 45 \\ -26 \\ \hline 19 \end{array}$$

3 64－19－27＝18

$$\begin{array}{r} 64 \\ -19 \\ \hline 45 \end{array} \quad \begin{array}{r} 45 \\ -27 \\ \hline 18 \end{array}$$

4 55－28－18＝9

$$\begin{array}{r} 55 \\ -28 \\ \hline 27 \end{array} \quad \begin{array}{r} 27 \\ -18 \\ \hline 9 \end{array}$$

5 31	**6** 40	**7** 29
8 35	**9** 18	**10** 17
11 16	**12** 26	**13** 9, 30
14 13, 16	**15** 60, 22	**16** 56, 9, 20

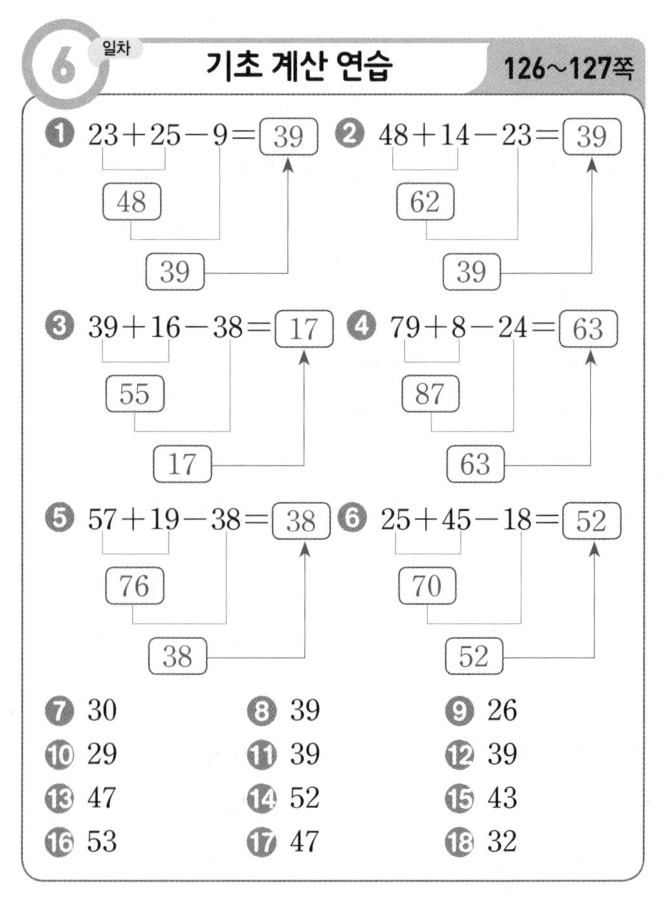

6일차 기초 계산 연습 126~127쪽

❶ 23＋25－9＝39 (48, 39)

❷ 48＋14－23＝39 (62, 39)

❸ 39＋16－38＝17 (55, 17)

❹ 79＋8－24＝63 (87, 63)

❺ 57＋19－38＝38 (76, 38)

❻ 25＋45－18＝52 (70, 52)

❼ 30	❽ 39	❾ 26
❿ 29	⓫ 39	⓬ 39
⓭ 47	⓮ 52	⓯ 43
⓰ 53	⓱ 47	⓲ 32

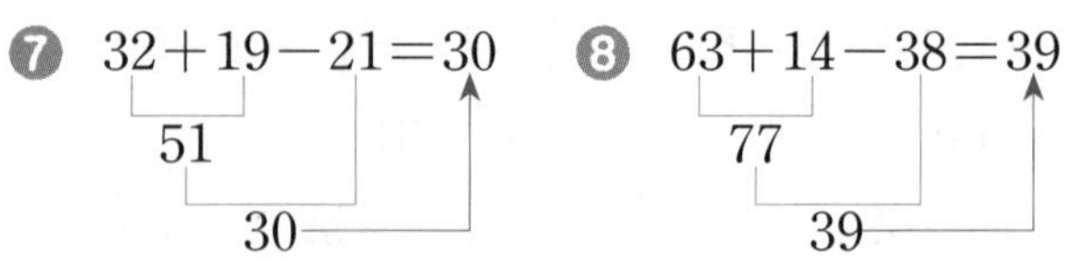

❼ 32＋19－21＝30 (51, 30)

❽ 63＋14－38＝39 (77, 39)

⑨ 57+14−45=26
71
26

⑩ 32+21−24=29
53
29

⑪ 73+15−49=39
88
39

⑫ 48+14−23=39
62
39

⑬ 48+23−24=47
71
47

⑭ 73+8−29=52
81
52

⑮ 37+15−9=43
52
43

⑯ 25+46−18=53
71
53

⑰ 39+26−18=47
65
47

⑱ 55+16−39=32
71
32

6 일차 플러스 계산 연습 128~129쪽

1 76+17−51=[42]

$$\begin{array}{r} 7\ 6 \\ +\ 1\ 7 \\ \hline [9\ 3] \end{array} \quad \begin{array}{r} [9\ 3] \\ -\ 5\ 1 \\ \hline [4\ 2] \end{array}$$

2 77+14−19=[72]

$$\begin{array}{r} 7\ 7 \\ +\ 1\ 4 \\ \hline [9\ 1] \end{array} \quad \begin{array}{r} [9\ 1] \\ -\ 1\ 9 \\ \hline [7\ 2] \end{array}$$

3 40 **4** 29 **5** 43
6 49 **7** 41 **8** 74
9 36 **10** 60 **11** 19
12 28 **13** 7, 34 **14** 3, 16

3 36+17−13=53−13=40

4 45+18−34=63−34=29

5 54+18−29=72−29=43

6 48+24−23=72−23=49

7 37+19−15=56−15=41

8 69+24−19=93−19=74

9 37+15−16=52−16=36

10 36+57−33=93−33=60

11 26+8−15=34−15=19(개)

12 19+14−5=33−5=28(개)

13 더 탄 사람 수는 더하고 내린 사람 수는 뺍니다.
➔ 25+16−7=41−7=34(명)

14 38+3−25=41−25=16(명)

7 일차 기초 계산 연습 130~131쪽

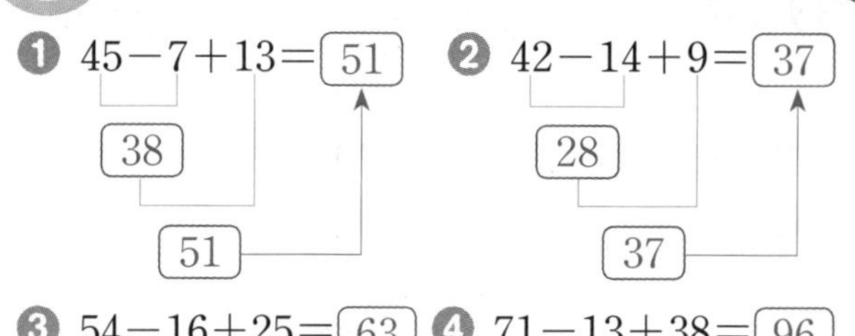

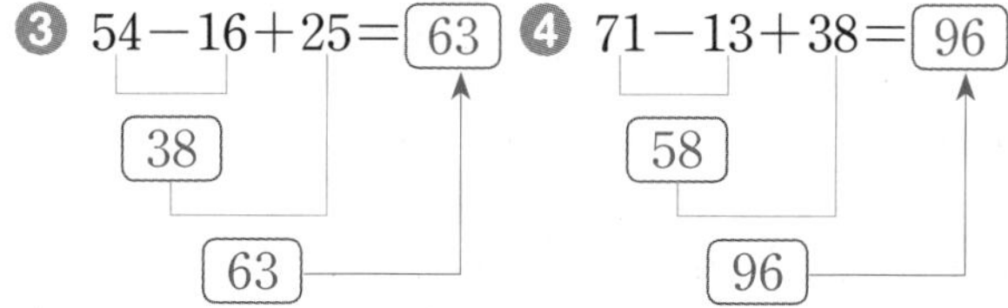

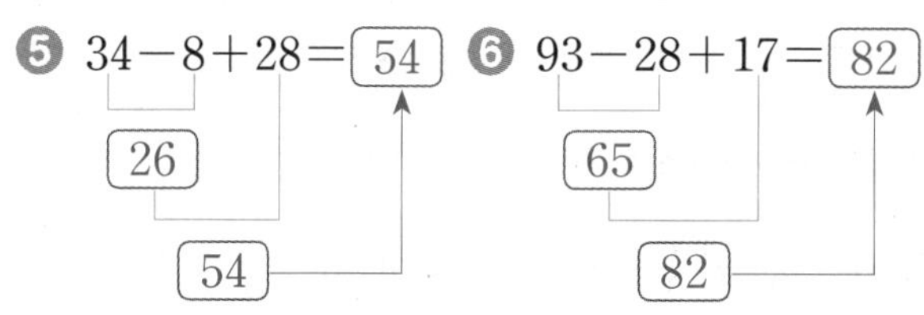

❼ 31 ❽ 63 ❾ 68
❿ 71 ⓫ 77 ⓬ 74
⓭ 57 ⓮ 51 ⓯ 44
⓰ 70 ⓱ 38 ⓲ 60

⑬ 72−28+13=57
44
57

⑭ 70−55+36=51
15
51

⑮ 81−53+16=44
28
44

⑯ 91−38+17=70
53
70

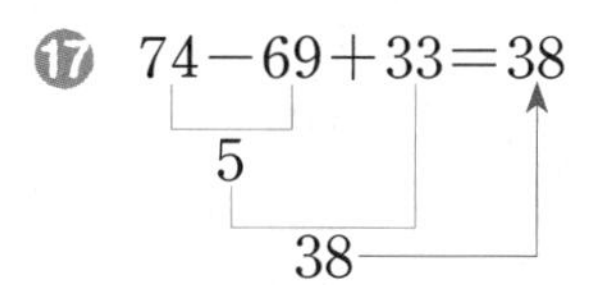

⑱ 92−45+13=60
47
60

7 일차 플러스 계산 연습 132~133쪽

1 53－17＋21＝57

$$\begin{array}{r} 53 \\ -17 \\ \hline 36 \end{array} \quad \begin{array}{r} 36 \\ +21 \\ \hline 57 \end{array}$$

2 67－32＋18＝53

$$\begin{array}{r} 67 \\ -32 \\ \hline 35 \end{array} \quad \begin{array}{r} 35 \\ +18 \\ \hline 53 \end{array}$$

3 45　4 64　5 40
6 65　7 67　8 61
9 85　10 61　11 42
12 23　13 9, 22　14 8, 25, 31

5 31－6＋15＝25＋15＝40

6 70－24＋19＝46＋19＝65

7 56－18＋29＝38＋29＝67

8 47－11＋25＝36＋25＝61

9 61－22＋46＝39＋46＝85

10 85－57＋33＝28＋33＝61

11 35－9＋16＝26＋16＝42(개)

12 31－13＋5＝18＋5＝23(개)

13 내린 사람 수는 빼고 더 탄 사람 수는 더합니다.
➜ 23－10＋9＝13＋9＝22(명)

14 14－8＋25＝6＋25＝31(명)

평가 SPEED 연산력 TEST 134~135쪽

❶ 39 ; 6, 39　❷ 57, 34 ; 91, 57
❸ 5 ; 5, 51　❹ 48, 63 ; 15, 48
❺ 27　❻ 45　❼ 27
❽ 84　❾ 82　❿ 37
⓫ 90　⓬ 70　⓭ 68
⓮ 57　⓯ 55　⓰ 52
⓱ 70　⓲ 53　⓳ 10
⓴ 9

⓱ 80－24＋14＝70 (56, 70)　⓲ 81－43＋15＝53 (38, 53)

⓳ 71－46－15＝10 (25, 10)　⓴ 64－28－27＝9 (36, 9)

특강 문장제 문제 도전하기 136~137쪽

1 68 ; 16＋□＝84 ; 68
2 47 ; 96－□＝49 ; 47
3 44 ; 56＋17－29＝44 ; 44
4 38, 97 ; 59
5 17, 35 ; 52
6 75, 49, 16 ; 42

1 16＋□＝84 ➜ 84－16＝□, □＝68

2 96－□＝49 ➜ 96－49＝□, □＝47

3 56＋17－29＝73－29＝44(개)

특강 창의·융합·코딩·도전하기 138~139쪽

융합 1 고진감래
융합 2 75
창의 3 46, 16, 80

융합 1 38＋15＋17＝70, 83－27－19＝37,
54＋26－34＝46, 62－25＋18＝55

융합 2 (가지의 수)＋(고추의 수)＋(토마토의 수)
＝24＋38＋13＝62＋13＝75(개)

창의 3 43－14＋51＝29＋51＝80
58－14－28＝44－28＝16
23＋51－28＝74－28＝46

개념 ○✕ 퀴즈 정답

5 곱셈

개념 ○✕ 퀴즈

옳으면 ○에, 틀리면 ✕에 ○표 하세요.

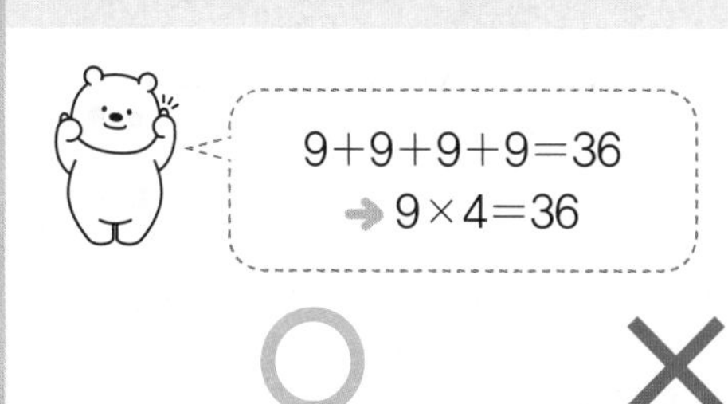

정답은 24쪽에서 확인하세요.

1일차 기초 계산 연습 142~143쪽

❶ 4 ; 6, 8 ; 8
❷ 2 ; 12 ; 12
❸ 3 ; 15 ; 15
❹ 3 ; 12 ; 12
❺ 3씩 [6]묶음, 6씩 [3]묶음 ➔ [18]마리
❻ 3씩 [8]묶음, 8씩 [3]묶음 ➔ [24]마리
❼ 2씩 [8]묶음, 4씩 [4]묶음, 8씩 [2]묶음 ➔ [16]마리
❽ 4씩 [9]묶음, 6씩 [6]묶음, 9씩 [4]묶음 ➔ [36]마리

❶ 2개씩 4묶음이므로 모두 8개입니다.

❷ 6개씩 2묶음이므로 모두 12개입니다.

❸ 5개씩 3묶음이므로 모두 15개입니다.

❹ 4개씩 3묶음이므로 모두 12개입니다.

❺ 3씩 묶으면 6묶음이고 6씩 묶으면 3묶음입니다.

❻ 3씩 묶으면 8묶음이고 8씩 묶으면 3묶음입니다.

❼ 2씩 묶으면 8묶음, 4씩 묶으면 4묶음, 8씩 묶으면 2묶음입니다.

❽ 4씩 묶으면 9묶음, 6씩 묶으면 6묶음, 9씩 묶으면 4묶음입니다.

1일차 플러스 계산 연습 144~145쪽

1 4, 24	**2** 3, 21	**3** 7, 28
4 8, 32	**5** 5, 25	**6** 6, 30
7 2, 14	**8** 2, 16	**9** 4, 16
10 3, 18	**11** 4, 20	**12** 5, 15
13 35	**14** 27	**15** 32
16 42		

1 6씩 4묶음이므로 모두 24마리입니다.

2 7씩 3묶음이므로 모두 21마리입니다.

3 7씩 4묶음이므로 모두 28마리입니다.

5 5씩 5묶음이므로 모두 25마리입니다.

6 6씩 5묶음이므로 모두 30마리입니다.

7 7씩 2묶음이므로 모두 14마리입니다.

8 8씩 2묶음이므로 모두 16마리입니다.

9 4씩 묶어 세면 4씩 4묶음입니다.

10 6씩 묶어 세면 6씩 3묶음입니다.

11 5씩 묶어 세면 5씩 4묶음입니다.

12 3씩 묶어 세면 3씩 5묶음입니다.

13 | 7 | 7 | 7 | 7 | 7 |
7씩 5묶음 ➔ 35

14 | 9 | 9 | 9 |
9씩 3묶음 ➔ 27

15 | 4 | 4 | 4 | 4 | 4 | 4 | 4 | 4 |
4씩 8묶음 ➔ 32

16 | 6 | 6 | 6 | 6 | 6 | 6 | 6 |
6씩 7묶음 ➔ 42

2일차 기초 계산 연습 146~147쪽

❶ 7	❷ 9, 9	❸ 5, 5
❹ 5, 5	❺ 4, 4	❻ 4, 4
❼ 2, 4	❽ 3, 6	❾ 4, 5
❿ 5, 3	⓫ 6, 4	⓬ 7, 3
⓭ 8, 3	⓮ 9, 3	

❶ ■씩 ▲묶음 ➔ ■의 ▲배

❼ 빨간색 구슬 수는 파란색 구슬 수의 4배입니다.

❽ 빨간색 구슬 수는 파란색 구슬 수의 6배입니다.

❾ 빨간색 구슬 수는 파란색 구슬 수의 5배입니다.

❿ 빨간색 구슬 수는 파란색 구슬 수의 3배입니다.

⓫ 빨간색 구슬 수는 파란색 구슬 수의 4배입니다.

⓬ 빨간색 구슬 수는 파란색 구슬 수의 3배입니다.

⓭ 빨간색 구슬 수는 파란색 구슬 수의 3배입니다.

⓮ 빨간색 구슬 수는 파란색 구슬 수의 3배입니다.

2일차 플러스 계산 연습 148~149쪽

1 6, 6, 6	**2** 5, 4, 5	**3** 7, 2, 7
4 3, 9	**5** 8, 3	**6** 5, 7
7 6, 5	**8** 9	**9** 9
10 5, 7, 9	**11** 8, 6, 4	**12** 7
13 8	**14** 7	**15** 9

1 6을 6번 더하면 6의 6배입니다.

참고

■+■+……+■+■ (▲번)

➔ ■씩 ▲묶음

➔ ■의 ▲배

2 4를 5번 더하면 4의 5배입니다.

3 2를 7번 더하면 2의 7배입니다.

4 3씩 9묶음 ➔ 3의 9배

5 8씩 3묶음 ➔ 8의 3배

10 귤: $4+4+4+4+4=20$ (5번)

➔ 4의 5배

자두: $4+4+4+4+4+4+4=28$ (7번)

➔ 4의 7배

배: $4+4+4+4+4+4+4+4+4=36$ (9번)

➔ 4의 9배

11 복숭아: $5+5+5+5+5+5+5+5=40$ (8번)

➔ 5의 8배

사과: $5+5+5+5+5+5=30$ (6번)

➔ 5의 6배

귤: $5+5+5+5=20$ (4번) ➔ 5의 4배

12 56은 8씩 7묶음이므로 8의 7배입니다.

13 48은 6씩 8묶음이므로 6의 8배입니다.

14 49는 7씩 7묶음이므로 7의 7배입니다.

15 45는 5씩 9묶음이므로 5의 9배입니다.

3일차 기초 계산 연습 150~151쪽

❶ 4	❷ 3
❸ 3	❹ 4
❺ 6	❻ 8
❼ 8 ; 4, 8	❽ 9 ; 3, 9
❾ 27 ; 3, 27	❿ 32 ; 4, 32
⓫ 20 ; 5, 20	⓬ 30 ; 5, 30
⓭ 25 ; 5, 25	⓮ 35 ; 7, 35
⓯ 49 ; 7, 49	⓰ 54 ; 6, 54
⓱ 24 ; 6, 24	⓲ 21 ; 7, 21

3일차 플러스 계산 연습 152~153쪽

1 4	**2** 2
3 3, 6	**4** 6, 5
5 45 ; 9, 5, 45	**6** 56 ; 7, 8, 56
7 20 ; 4, 5, 20	**8** 16 ; 2, 8, 16
9 48 ; 8, 6, 48	**10** 42 ; 6, 7, 42
11 8 ; 8, 48	**12** 9 ; 9, 45
13 9 ; 9, 81	**14** 8 ; 8, 64
15 8, 40	**16** 9, 63
17 7, 3, 21	**18** 8, 9, 72

1 $4+4+4+4$ (4번) ➔ 4×4

2 $7+7$ (2번) ➔ 7×2

3 $3+3+3+3+3+3$ (6번) ➔ 3×6

4 $6+6+6+6+6$ (5번) ➔ 6×5

5 9를 5번 더했으므로 $9\times5=45$입니다.

4일차 기초 계산 연습 154~155쪽

❶ 3, 3, 3, 3, 15 ; 5, 15
❷ 6, 6, 18 ; 3, 18
❸ 2, 2, 2, 10 ; 2, 5, 10
❹ 4, 4, 4, 4, 24 ; 4, 6, 24
❺ $5+5+5+5+5+5=30$; $5\times6=30$
❻ $4+4+4+4+4+4+4=28$; $4\times7=28$
❼ $3+3+3+3+3+3=18$; $3\times6=18$
❽ $6+6+6+6+6+6+6+6=48$; $6\times8=48$
❾ $3+3+3+3+3+3+3+3=24$; $3\times8=24$
❿ $4+4+4+4+4+4+4+4+4=36$; $4\times9=36$
⓫ $2+2+2+2+2+2=12$; $2\times6=12$
⓬ $5+5+5+5=20$; $5\times4=20$

❶ 3씩 5묶음이므로 3의 5배입니다.
➔ $3+3+3+3+3=15$ ➔ $3\times5=15$

❷ 6씩 3묶음이므로 6의 3배입니다.
➔ $6+6+6=18$ ➔ $6\times3=18$

❸ 2씩 5묶음이므로 2의 5배입니다.
➔ $2+2+2+2+2=10$
➔ $2\times5=10$

❹ 4씩 6묶음이므로 4의 6배입니다.
➔ $4+4+4+4+4+4=24$ ➔ $4\times6=24$

❺ 5를 6번 더한 것을 곱셈식으로 나타내면 $5\times6=30$입니다.

4일차 플러스 계산 연습 156~157쪽

1 $2+2+2+2+2+2=12$; $2\times6=12$
2 $5+5+5+5+5=25$; $5\times5=25$
3 $8+8+8+8+8+8=48$; $8\times6=48$
4 $9+9+9+9=36$; $9\times4=36$
5 2, 4, 8
6 3, 6, 18
7 4, 4, 16
8 3, 12 ; 4, 12
9 3, 15 ; 5, 15
10 5, 10 ; 2, 10
11 3, 6 ; 2, 6
12 $6+6+6+6+6+6+6=42$; $6\times7=42$
13 $8+8+8+8+8=40$; $8\times5=40$
14 $9+9+9+9=36$; $9\times4=36$
15 $7+7+7+7+7=35$; $7\times5=35$

1 2씩 6번 뛰어 세기
$2+2+2+2+2+2=12$ ➔ $2\times6=12$

8 4씩 3묶음 또는 3씩 4묶음입니다.
➔ $4\times3=12$, $3\times4=12$

12 6을 7번 더한 것을 곱셈식으로 나타내면 $6\times7=42$입니다.

13 8씩 5묶음 ➔ $8+8+8+8+8=40$, $8\times5=40$

14 $9+9+9+9=36$ (4번) ➔ $9\times4=36$

15 $7+7+7+7+7=35$ (5번) ➔ $7\times5=35$

평가 SPEED 연산력 TEST 158~159쪽

❶ 4, 12　❷ 5, 10
❸ 6, 24　❹ 7, 35
❺ → 4의 $\boxed{5}$배
→ $\boxed{4}+\boxed{4}+\boxed{4}+\boxed{4}+\boxed{4}=\boxed{20}$
❻ → 8의 $\boxed{3}$배
→ $\boxed{8}+\boxed{8}+\boxed{8}=\boxed{24}$
❼ → 9의 $\boxed{6}$배
→ $\boxed{9}+\boxed{9}+\boxed{9}+\boxed{9}+\boxed{9}+\boxed{9}=\boxed{54}$
❽ $\boxed{8}$씩 4묶음 → 8의 $\boxed{4}$배
→ $\boxed{8}+\boxed{8}+\boxed{8}+\boxed{8}=\boxed{32}$
❾ $6\times5=30$　❿ $3\times9=27$
⓫ $4\times9=36$　⓬ $7\times6=42$
⓭ 7, 7, 49　⓮ 9, 8, 72
⓯ 4, 8, 32　⓰ 8, 6, 48
⓱ 3, 6, 18　⓲ 7, 8, 56
⓳ 8, 8, 64　⓴ 2, 9, 18

❺ $4+4+4+4+4=20$

❻ $8+8+8=24$

❼ $9+9+9+9+9+9=54$

❽ $8+8+8+8=32$

⓭ 7씩 7묶음은 $7\times7=49$입니다.

⓮ 9씩 8묶음은 $9\times8=72$입니다.

특강 문장제 문제 도전하기 160~161쪽

1 5, 10 ; 5, 10 ; 10
2 4 ; 4, 32 ; 4, 32 ; 32
3 5, 6, 30
4 9, 7, 63
5 9, 4, 36

1 2의 5배는 $2\times5=10$입니다.

2 (색종이의 수)
=(한 묶음에 있는 색종이의 수)×(묶음 수)
$=8\times4=32$(장)

3 5의 6배는 $5\times6=30$입니다.
→ 30개

4 (빵의 수)=(한 상자에 있는 빵의 수)×(상자 수)
$=9\times7=63$(개)

5 9의 4배는 $9\times4=36$입니다.
→ 36개

특강 창의·융합·코딩·도전하기 162~163쪽

융합 1 4, 4 ; 4, 24 ; 24
창의 2 $3+3+3+3+3+3=18$; $3\times6=18$; 18
창의 3 (1) 20 (2) 3, 12

창의 2 덧셈식: $3+3+3+3+3+3=18$
곱셈식: $3\times6=18$

창의 3 (1) 5의 4배 → $5\times4=20$
(2) 4의 3배 → $4\times3=12$

개념 OX 퀴즈 정답

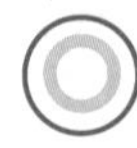

$9+9+9+9=36$
→ $9\times4=36$

최상

난이도

수학의 힘[감마]

수학리더[최상위]

심화

수학의 힘[베타]

수학리더
[응용+심화]

유형

초등 문해력
독해가 힘이다
[문장제 수학편]

수학도
독해가 힘이다

수학리더
[기본+응용]

수학리더[유형]

수학의 힘[알파]

학기별 1~3호

방학 개념 학습

GO! 매쓰
시리즈

Start/Run A–C/Jump

개념

수학리더[기본]

수학리더[개념]

평가 대비
특화 교재

단원 평가
마스터

HME 수학
학력평가

예비 중학
신입생 수학

기초
연산

계산박사

수학리더[연산]

최하

정답은
이안에
있어!